O Último Jantar

O Último Jantar
Copyright by © Petit Editora e Distribuidora Ltda. 2002
1ª edição: junho/02 – 15.000 exemplares

Direção editorial: **Flávio Machado**

Capa:
Fotógrafo: **Marcelo Kura**
Restaurante: **Le Caipirinha**
Talheres: **Spacy**
Receita exclusiva de sopa de champignon
criada pelo chef: **José Maria Meira**
Arte final: **Flávio Machado**

Querendo conhecer essa receita entre no site da Petit: www.petit.com.br

Assistente de produção editorial e
preparação: **Fernanda Rizzo Sanchez**

Chefe de arte: **Marcio da Silva Barreto**

Diagramação: **Ricardo Brito**

Revisão: **Sabrina Cairo**
Maria Aiko Nishijima

Fotolito da capa: **Digigraphic**

Impressão: **Cromosete Gráfica e Editora Ltda.**

Ficha catalográfica elaborada por
Lucilene Bernardes Longo – CRB-8/2082

Carlos, Antônio (Espírito).
O último jantar / romance do espírito Antônio Carlos ; psicografado pela médium Vera Lúcia Marinzeck de Carvalho. – São Paulo : Petit, 2002.

ISBN 85-7253-089-4

1. Espiritismo 2. Psicografia 3. Romance espírita
I. Carvalho, Vera Lúcia Marinzeck de II. Título.

CDD: 133.9

Impresso no Brasil, no inverno de 2002.

O Último Jantar

Romance do espírito
Antônio Carlos

AMIGO DO LIVRO ESPÍRITA
EDIÇÃO EXCLUSIVA PARA CLUBE DO LIVRO ESPÍRITA

Psicografado pela médium
Vera Lúcia Marinzeck de Carvalho

petit editora

Rua Atuaí, 383/389 - Vila Esperança/Penha
CEP 03646-000 - São Paulo - SP
Fone: (0xx11) 6684-6000
Endereço para correspondência:
Caixa Postal 67545 - Ag. Almeida Lima
03102-970 - São Paulo - SP

www.petit.com.br
petit@petit.com.br

Outros livros psicografados pela médium
Vera Lúcia Marinzeck de Carvalho:

Com o espírito Antônio Carlos

- Reconciliação
- Cativos e Libertos
- Copos que Andam
- Filho Adotivo
- Reparando Erros de Vidas Passadas
- A Mansão da Pedra Torta
- Palco das Encarnações
- Aconteceu
- Muitos são os Chamados
- O Talismã
- Aqueles que Amam
- O Diário de Luizinho (infantil)
- Novamente Juntos
- A Casa do Penhasco
- O Mistério do Sobrado

Com o espírito Patrícia

- Violetas na Janela
- Vivendo no Mundo dos Espíritos
- A Casa do Escritor
- O Vôo da Gaivota

Com o espírito Rosângela

- Nós, os Jovens
- A Aventura de Rafael (infantil)
- Aborrecente, não. Sou Adolescente!
- O Sonho de Patrícia (infantil)
- Ser ou não Ser Adulto
- O Velho do Livro (infantil)
- O Difícil Caminho das Drogas

Com o espírito Jussara

- Cabocla

Com espíritos diversos

- Valeu a Pena!
- O que Encontrei do Outro Lado da Vida
- Deficiente Mental: Por que Fui Um?

Livros em outros idiomas

- Violets by my Window
- Violetas en la Ventana
- Reconciliación
- Deficiente Mental: ¿Por que Fui Uno?
- Viviendo en el Mundo de los Espíritus

Sumário

capítulo um

Mary

Mary, quando encarnada, foi uma escritora de entretenimento. Sempre gostou de literatura. Amava imaginar histórias e colocá-las no papel. E, quando se ama o que se faz, realiza-se bem-feito. O período encarnado acabou, seu corpo físico morreu e a mudança de plano a perturbou. O que encontrou na Espiritualidade era muito diferente do que pensava. Ela foi, após o sepultamento do seu envoltório carnal, levada a um posto de socorro, porém não quis ficar e voltou ao seu antigo lar.[1] O sofrimento a fez querer o auxílio dos

[1] Somos livres para permanecer nos locais de socorro. Não querendo ficar, podemos sair com permissão, ou então por uma vontade forte somos atraídos para onde desejamos ir. (Nota do Autor Espiritual.)

bons espíritos, e foi novamente ajudada. Aceitando então a mudança de plano, adaptou-se à nova maneira de viver. Ativa, quis ser útil, aprendeu e passou a servir. Foi trabalhar num posto de socorro. Uma tarefa especial despertou sua vontade de trabalhar com a literatura. Pediu então para estudar sobre o assunto e foi estagiar na Colônia Casa do Escritor.[2]

Ela estava amando estar ali. Achou a colônia linda. Tudo era simples e prático. Gostava de maneira especial do vasto jardim bem cuidado, onde a maioria de seus moradores, professores e estudantes, gostava de ficar conversando, trocando informações entre os canteiros floridos e os bancos confortáveis.

Fez novos amigos, e todos ali tinham o mesmo objetivo: ser útil, fazer algo de bom na tarefa de instruir pessoas por meio de escritos, palestras e filmes. Surpreendeu-se com a maneira simples e sábia com que os orientadores da casa ensinavam, e os novos conhecimentos a fascinavam. Mary estava sempre dizendo:

[2] Mary narrou esse trabalho especial, sua aventura, no livro *O Mistério do Sobrado*. Vera Lúcia Marinzeck de Carvalho. Petit Editora: São Paulo/SP. E a Colônia Casa do Escritor, esse maravilhoso local de estudos, foi muito bem descrita por Patrícia no livro *A Casa do Escritor*. Vera Lúcia Marinzeck de Carvalho. Petit Editora: São Paulo/SP. (N.A.E.)

"Como podemos ajudar, esclarecer com a boa literatura! Não usei bem meu talento. Sinto por isso. Alegro-me por saber que terei outras oportunidades e, para aproveitá-las melhor, quero aprender e me preparar".

E, como não devemos ficar remoendo o passado, mas sim aproveitar bem o presente, Mary resolveu estudar bastante, aprender, para ser útil da melhor maneira possível. Não queria adiar o que tinha de fazer para o futuro, compreendera que o que importa é o presente, é fazer, realizar no momento atual.

A literatura era o assunto preferido da colônia de estudos e também de Mary, que estava sempre conversando, principalmente com pessoas que, quando encarnadas, dedicaram-se a instruir, educar e ensinar pela escrita.

Mary amava assistir a palestras, comparecia a todas que eram realizadas na colônia e almejava um dia poder ensinar daquele modo.

Em uma tarde, ela se dirigiu a um dos salões para ouvir um orador que há algum tempo estava no plano espiritual e, na sua opinião, tratava-se de um exímio palestrante.

A sala de palestra era grande, tinha poltronas confortáveis de cor bege claro e somente alguns quadros nas paredes; na frente havia uma pequena mesa enfeitada com flores cor-de-rosa. A colônia recebe muitos convidados para essas palestras de espíritos que trabalham em outras casas e até em outros países. Recebe também alguns encarnados, que deixam o corpo físico adormecido e vão acompanhados de seus espíritos protetores.

Após uma rápida oração, o orador falou sobre as parábolas de Jesus:

"As parábolas têm dois sentidos: o material e o espiritual. O material é de fácil entendimento; são os fatos do dia-a-dia das pessoas, da natureza. Mas, o espiritual depende da evolução, da capacidade de assimilação de cada indivíduo. Por isso é que vemos até hoje pessoas darem explicações para esses ensinamentos de formas tão diversas, interpretando-os conforme o entendimento que possuem. Nós mesmos já os interpretamos de muitos modos e certamente o faremos futuramente de outras formas.

"As parábolas nos convidam a uma profunda meditação. Devemos senti-las e vivê-las para compreendermos os ensinamentos contidos nessas preciosidades."

Depois de uma ligeira pausa, o orador falou dos ensinamentos de Jesus: "O amigo importuno e o juiz iníquo".[3]

[3] Lucas, 11: 5 e 18: 1. (N.A.E.)

"Ao meditar sobre essas duas parábolas, compreendemos que Jesus insistiu em que devemos orar sempre, que jamais, em nenhuma circunstância, devemos deixar de fazer com sinceridade nossas preces.

"'Pedi e recebereis; batei, abrir-se-vos-á; buscai e achareis. Tudo o que pedirdes ao Pai, Ele vô-lo dará... E, orai, não deixei-vos de orar'.

"Podemos achar no Evangelho vários textos incentivando-nos a não perder a esperança e a fazer o que nos cabe para receber o que almejamos.

"E nessas duas parábolas os pedintes chegam a ser impertinentes, insistem", continuou o orador.

"Deus não deve se sentir importunado com nossos pedidos importunos nem nos atende para ficar livre. E, se Ele sabe do que necessitamos até antes de pedirmos, por que a necessidade de fazê-lo? A finalidade do pedido, da oração, é nos levar a crer em nós mesmos, é nos fazer agir de forma que Deus possa nos atender.

"Quando pedimos e nos preparamos para receber, nos tornamos receptivos a esse recebimento. Por isso Jesus recomendou: busque, bata, faça sua parte, prepare-se para receber.

"Torne-se receptivo! Todos nós temos capacidade para receber. Muitos imprudentes obstruem esse recebimento; outros o aumentam. E o pedir, orar, buscar etc. aumentam essa capacidade de receber o dom do Doador Divino.

"E recebe-se de acordo com a capacidade que se tem para receber.

"Quem for a uma fonte de água pura e cristalina com um dedal irá trazer um dedal com água. Quem for com um copo trará um copo com água. Assim acontece com quem leva um balde ou um recipiente maior. E o importante é quem vai buscar. Caminha para chegar lá, bate, pede e recebe. Faz sua parte. E para chegar à fonte ele deve ter trabalhado e estudado a melhor forma para ir, lá bateu, insistiu em pedir etc. Não ficou parado esperando, e com tudo o que fez o pedinte, tornou-se receptivo.

"Pedir para alguém fazer o que nos compete é receber a água que a pessoa foi buscar na fonte. Jesus, porém, recomendou que façamos, nós mesmos, o que nos compete, busquemos, criemos um ambiente de receptividade com nosso esforço."

Mary escutava atenta. De repente sentiu que alguém em algum lugar falava dela, e não era algo bom. Ficou inquieta e ouviu: "Maldita escritora!" Olhou um tanto assustada à sua volta. Ficou aliviada, pois ninguém escutara. Entendeu que a voz estava se referindo a ela, portanto apenas ela a sentira, ouvira ou recebera por sintonia.

Tentou prestar atenção no fabuloso orador do qual era fã. Admirava-o por ele ter voltado ao plano espiritual com seu objetivo cumprido e por ter feito o que planejara.

O orador logo terminou a palestra com uma linda oração e as pessoas foram se retirando maravilhadas pelo que ouviram. Era de madrugada. Palestras com convidados encarnados são realizadas em horários em que normalmente o corpo físico dorme.

Mary saiu do salão e foi para o jardim. Preferiu ficar sozinha olhando o firmamento. Ficou pensando na palestra que ouvira, memorizando-a, e concluiu que temos sempre de fazer o que nos compete, ser auto-suficientes, aproveitar as oportunidades de aprender, praticar o bem para um dia sermos bons. Logo o Sol[4] despontou no horizonte e a nossa aprendiza se encantou com a beleza do astro rei. Meditou e concluiu que do Sol podemos tirar um grande exemplo. Silencioso, ele dá luz e calor a todos igualmente. Faz simplesmente o que tem de ser feito: existe, é útil. "E por que não sermos assim: fazermos por amor a todos e sem alarde; sermos uma fonte de luz e calor?", pensou ela.

[4] Colônias e locais de socorro que recebem a visita de encarnados ou em que seus moradores desencarnados trabalham, seguem o horário do plano físico. Ver o nascer do Sol nesses lugares é um espetáculo de rara beleza. (N.A.E.)

No período da manhã, ela tinha aulas e foi assistir a elas. Nessa colônia de estudos, havia muitas salas e elas eram bem confortáveis. Sua turma tinha vinte e oito estudantes e todos com vontade de aprender tornaram-se bons amigos. A maioria das aulas era nesse período, o que fazia a colônia ser agitada nesse horário; professores e estudantes tinham muito o que fazer.

Quando terminaram as aulas, ela dirigiu-se à biblioteca da colônia, um lugar muito freqüentado pelos moradores e visitantes. Espaçosa, ela tinha muitas estantes repletas de livro. Um local maravilhoso para os amantes da literatura.

Mary cumprimentou Cecília, que estagiava na biblioteca, e foi para uma das estantes pegar um livro para fazer uma consulta.

"Maldita! Mil vezes maldita!"

Sentiu novamente as palavras na sua mente, bem como a raiva de quem as dizia. Mary sentiu tontura, agachou-se num canto, colocou as mãos na cabeça e pronunciou:

"Não! Não sou maldita! Pare com isso!"

"Mary! Acalme-se, por favor! O que você tem?", perguntou Cecília, erguendo-a do chão.

"Não sei, Cecília", respondeu Mary com dificuldade. "Alguém me amaldiçoou e senti tudo rodar."

Cecília chamou telepaticamente o orientador da colônia, que era responsável pelos estudantes da casa, e ajudou Mary a sentar-se numa poltrona. Logo Carlos Augusto entrou na biblioteca e dirigiu-se a elas, indagando: "O que aconteceu?"

"Mary sentiu alguém amaldiçoá-la e teve um ligeiro mal-estar", respondeu Cecília.

"Desculpem-me", falou Mary. "Não queria causar nenhum transtorno. Não sei o que aconteceu. Nunca pensei que estando aqui, na colônia, pudesse sentir alguém, que não sei quem é nem onde está, falar ou pensar em mim de maneira tão negativa. Não entendo o que está se passando."

Carlos Augusto deu um passe em Mary e, quando ela melhorou, lhe falou:

"Mary, vamos até o meu gabinete para conversarmos".[5]

Mary o acompanhou e sentou-se em frente a uma escrivaninha. Carlos Augusto acomodou-se ao seu lado, dirigindo-se a ela de forma carinhosa:

"Querida Mary, somos responsáveis pelo que fazemos. Se alguém se sentir prejudicado por um de nossos atos, mesmo que não o tenhamos feito com má intenção, podemos de alguma forma

---

[5] Para o mesmo local, é dado muitos nomes. Gabinete é uma salinha em que os orientadores recebem as pessoas em particular para uma conversa, uma orientação etc. (N. A. E.)

sentir pelo sofrimento ou dificuldade que causamos. E, se pudermos, devemos ajudar quem se sente prejudicado direta ou indiretamente pelo que fizemos. Você, minha amiga, quando encarnada, foi autora de muitos livros. Por intermédio deles, você não fez o mal, não teve em momento algum intenção de prejudicar ninguém. Mas, se alguém se sentiu prejudicado e a amaldiçoa, e como estamos de certa forma ligados aos nossos atos, sejam eles bons, ruins ou neutros, você sente e ouve."

"O que faço agora? Fico indiferente a essas palavras?", perguntou Mary.

"Você não sabe mesmo o que fazer?", indagou Carlos Augusto, olhando-a carinhosamente.

"Devo ir ver o que se passa? Mas e meus estudos? Estou amando muito tudo aqui. Alegro-me em conviver com outros autores, participar desse aprendizado que tanto está me esclarecendo", falou Mary, suspirando.

"Se não for, não ficará sabendo o que acontece", opinou o orientador.[6]

"Que tristeza! Terei de deixar esta casa", disse Mary, suspirando.

---

[6] Carlos Augusto tinha como saber o que estava acontecendo, talvez já soubesse, mas, como o fato se referia a Mary e era assunto particular, sabiamente ele motivou-a a resolvê-lo, ensinando que cabe a cada um de nós esclarecer o que nos compete e resolver os nossos problemas. (N.A.E.)

"Mary", disse Carlos Augusto, calmamente, "lembre-se de que Jesus recomendou que fizéssemos primeiro a reconciliação com o nosso próximo para depois fazermos nossa oferta ao altar. No seu caso, faça esse ser lhe querer bem, resolva esse caso, para depois fazer outras tarefas. Você não conhece essa pessoa, talvez nem ela a você, mas, pelos seus livros ou por algum outro motivo, ela a amaldiçoa. Será que você terá condições de continuar estudando ao deixar que essa pessoa se sinta assim? Deve procurá-la e auxiliá-la para que não a maldiga mais".

"Como vou achá-la? Saberei ajudá-la? Irei sozinha?", indagou Mary.

"Para encontrá-la, é só seguir a voz, pensar na pessoa e ir ao seu encontro. Saberá auxiliá-la. Você é inteligente e capaz. E deve ir só", respondeu o orientador.

"Fiz a ação sozinha, não é?", indagou Mary.

Carlos Augusto sorriu e respondeu:

"Quando resolvemos problemas, sejam nossos ou de outros, aprendemos muito. Você irá sozinha, mas estaremos aqui para orientá-la. Pode contar comigo. Vá, Mary, resolva, auxiliando quem, em aflição, está dizendo essas palavras".

"Só eu escutei porque a pessoa se referiu a mim, não é?"

"Sim, nossos atos e ações a nós pertencem, e você se sente responsável pelos livros que escreveu."

"Se estivesse no Umbral[7], eu me sentiria pior?", perguntou Mary.

"Benção e maldição com fundamento", respondeu Carlos Augusto, "são sentidas em qualquer lugar. No seu caso, não tem fundamento. Não foi culpada e não deve sentir-se assim. Talvez, se estivesse encarnada ou desencarnada no Umbral, por não ter feito as coisas com intenção de prejudicar, você não iria sofrer. Como você está bem, consciente de tudo o que fez, sentiu por entender que é responsável. Para esclarecer essa situação, eu a aconselho a ir até essa pessoa, verificar o que aconteceu e ajudá-la".

"Quando devo ir?", perguntou Mary, com expressão aborrecida, sentindo como se estivesse sendo obrigada a fazê-lo.

"Mary, só a estou orientando. Você tem o livre-arbítrio, que é respeitado. Não está sendo obrigada a nada."

"Desculpe-me", disse Mary, de cabeça baixa. "Ao fazermos algo, não imaginamos quanto nos prendemos às nossas ações e que os seus reflexos

---

[7] Umbral: ambiente espiritual trevoso e infeliz criado pela força do pensamento de milhares de criaturas em desajuste. (N.A.E.)

nos acompanham. Você tem razão. Não conseguiria continuar aqui sabendo que alguém se sente prejudicado pelo que fiz, mesmo que eu tenha feito sem a intenção de causar danos. Devo ser grata pela oportunidade de poder procurá-lo e tentar mudar sua maneira de pensar a meu respeito, e certamente para isso tenho de ajudá-lo a resolver o que o aflige. Vou confiante, sabendo que posso contar com você. Ainda bem que meus livros não se espalharam muito, não foram tão publicados, porque, senão eu teria problemas maiores."

"Amiga", falou Carlos Augusto, tranqüilamente, "não os veja como problemas. Porém, se os vir assim, saiba que pode achar soluções para cada um".

"Você, Carlos Augusto, já sentiu alguém amaldiçoá-lo?", perguntou Mary.

"Sim, e ainda bem que ele não encontrou em mim erros ou motivos. Porque, Mary, para sentir ressonância, tem de haver a maldade feita. Mas, pode acontecer de uma ação bem-feita ser mal interpretada e vista como uma maldade por alguém e por isso sermos amaldiçoados. Uma vez, quando estava encarnado, ajudei com conselhos e orientação uma pessoa obsedada e ela passou a proceder corretamente, saindo da faixa vibracional do obsessor, porém este me amaldiçoou. Certamente, ele não me prejudicou, em primeiro lugar porque eu não estava na sintonia dele e depois porque quis o bem dele também e tentei ajudá-lo. Outra da qual me lembro foi quando já estava no plano espiritual. Socorri um desencarnado que estava no Umbral como escravo e orientei-o. Ele recebeu o socorro e se esforçou para se modificar e melhorar. Esse espírito era talentoso na literatura e estava sendo obrigado a motivar encarnados a escrever o que um grupo queria. Esses moradores da Zona Umbralina me amaldiçoaram. Também não encontraram ressonância. Mas, mesmo assim, fui até eles, marquei uma entrevista e conversamos. Entenderam que tanto eles quanto eu trabalhávamos cada qual com um ideal. Desse encontro vieram comigo dois deles, que resolveram mudar, para viver para o bem. O resto do grupo não me amaldiçoou mais. Muitos dos meus companheiros e eu, ao receber uma maldição, tentamos resolver a questão ajudando, esclarecendo. Embora isso não nos incomode, é um prazer fazer quem não gosta da gente nos querer bem."

"Carlos Augusto, se a maldição encontrar ressonância, como fica o indivíduo que a recebe?", perguntou Mary.

"Ao fazermos mal a alguém", respondeu o orientador, "primeiramente o fazemos a nós mesmos. Quando estamos errados, vibramos de tal modo que recebemos as energias negativas. Expressar maldições é muito triste, porque quem amaldiçoa não perdoa e quem recebe sente bastante. Por outro lado, temos as bênçãos, que são energias benéficas, que tanto bem fazem para quem é grato como para quem recebe. Minha mãe é uma pessoa maravilhosa que, quando encarnada, fez muito o bem. Uma vez um irmão dela lhe disse: 'Irmãzinha, você coleciona Deus lhe pague e obrigado!' Ela sorriu.

"Um dia, minha mãe me contou que, em muitas situações difíceis, ela pedia a Deus e pensava nos agradecimentos que recebia. Esses fluidos a fortaleciam, e certamente alguns desses beneficiados intercediam por ela. E ela nunca ficou sem receber o que pedia, usando da energia da gratidão. Pelo visto, meu tio tinha razão. Mamãe colecionava 'Deus lhe pague e obrigado'. Quando seu corpo físico estava morrendo, foram centenas de amigos ajudá-la, lhe dar boas-vindas. Nesse dia, estávamos meus dois irmãos, uma tia e eu ao seu lado. Mamãe sorriu e disse: 'Deus lhe pague! Obrigado!' E tranqüilamente partiu com seus inúmeros amigos para o plano espiritual. Ela me disse depois, quando nos encontramos no plano espiritual, que foi isso que escutou quando seu envoltório carnal morria, e ela repetiu. Mary, como seria bom se todos colecionassem essas duas formas de agradecer e de receber bênçãos."

"Acho que vou começar a colecionar agradecimentos, como sua mãe, mas antes disso vou animada me entender com essa pessoa que não gosta de mim e que, com certeza, transformarei em uma amiga."

"Mary, saia da colônia e vá para onde se encontra essa pessoa. Não se apresse em voltar: estará fazendo uma pausa nos seus estudos. Deverá sentir como se estivesse em férias escolares. Com certeza irá aprender muito."

"Será que saberei mesmo auxiliá-la? Serei bem recebida?"

"Quando queremos ajudar e solucionar um problema, devemos conhecer a pessoa e sua dificuldade. E você não precisará dizer quem é realmente. Fale que é uma amiga. É isso que deverá ser: uma amiga. Quando usamos da amizade, sempre encontramos um jeito de ajudar o outro. Lembro a você, Mary, que são muitos os postos de socorro espalhados pela Terra e que certamente encontrará um perto de onde irá. Logo que possível, visite-o, identifique-se e conte a eles o que está fazendo. Peça ajuda se necessitar e receberá auxílio."

Mary abraçou Carlos Augusto, agradeceu e saiu do gabinete. Foi para seu quarto e olhou seus pertences:

"Vou levar só o necessário!", exclamou.

Pegou uma mochila e colocou dentro uma lanterna[3] e alguns livros.

"Talvez tenha tempo para lê-los!", voltou a se expressar.

Foi para o jardim da colônia com a mochila e escutou novamente: "Maldita!"

Seguiu a sintonia de quem se expressava. Volitou...

[3] Em *Nosso Lar*, obra psicografada por Francisco Cândido Xavier, edição da Feb – Federação Espírita Brasileira, seu autor, o Espírito André Luiz, no capítulo 5 "Recebendo Assistência", também refere-se a um espírito com uma bolsa portando objetos, tratava-se de Lísias, espírito visitador dos serviços de saúde, prestando atendimento a André Luiz. (N.A.E.)

capítulo dois

O Paiol

Mary foi para uma chácara, perto de uma cidade de porte médio. A casa era grande: tinha à frente um jardim; nos fundos à esquerda ficava um pomar, e à direita, um paiol, um galpão não muito grande onde eram guardados os cereais e os alimentos para os animais. Foi para lá que ela se dirigiu.

O local estava quase vazio: alguns sacos de milho e ração estavam num canto, instrumentos de trabalho no campo, em outro; muita sacaria vazia e alguns móveis velhos. Mary observou tudo com curiosidade e encostou-se numa escada, fazendo um barulho que só podia ser ouvido por desencarnados, e foi isso que aconteceu.

"Quem está aí? É você Zé Grilo?", perguntou uma voz feminina.

Mary reconheceu a voz que a maldizia. Olhou para a direção de onde vinha o som e viu uma mulher saindo de trás de alguns sacos vazios, ajeitando a roupa. Ela aparentava ter desencarnado com cinqüenta anos; era robusta e trajava um conjunto: calça comprida e blazer pretos, que estavam um pouco sujos. A desencarnada sentou-se num banquinho. Bastou Mary olhar para ela e querer que esta a visse para tornar-se visível.[1] A senhora a viu e a observou com curiosidade.

"Bom dia! Sou Mary. Estava passando e resolvi entrar. Posso?"

"Depois que entra é que pede?", falou a senhora.

"É que julguei não ter ninguém", disse Mary.

"Está bem, entendo. Você achou que não tinha nenhum morto por aqui, não é isso?"

---

1 Tornar-se visível: sublimamos ou desequilibramos o delicado agente das nossas manifestações, o perispírito, conforme o tipo de pensamento que emitimos. Quanto mais nos elevamos, no sacrifício pessoal da renovação moral e no trabalho construtivo, maior a sutileza do nosso perispírito. Os espíritos de ordem elevada apresentam um corpo perispiritual mais sutil. Para se fazerem visíveis, eles se utilizam de fluidos densos, extraídos do ambiente terrestre, modificando, provisoriamente, a condição do seu perispírito e dando a ele a forma que melhor lhes convém. (N.A.E.)

"É...", respondeu Mary.

"Você sabe que já morreu?", perguntou a senhora.

"Sei que meu corpo morreu e que continuo viva", respondeu Mary.

"Você disse que estava passando por esses lados? Não tem onde ficar? Não! Se quiser, pode permanecer aqui, desde que não me incomode. Mary? Você se chama assim? Sou Liliana, mas pode me chamar de Lia", apresentou-se a senhora.

"Obrigada!", Mary finalmente conseguiu falar, pois até aquele momento estava só respondendo com a cabeça.

Liliana, ou seja, Lia, continuou olhando para Mary. Depois de tê-la examinado bem, ela falou:

"Você com esse conjunto de saia e casaco cinza parece ter saído do século passado! E essa blusinha branca enfeitada com renda que veste por baixo! Deve ser muito antiga."

Mary se olhou. Sempre gostara de sua roupa. No plano espiritual, nas colônias, nos postos de socorro, ninguém repara nesses detalhes, e ela nunca pensara em se vestir de maneira diferente. Depois, se acostumara a ver na Espiritualidade espíritos vestidos de muitas maneiras.

Como Mary ficou quieta e se observando, Lia disse em tom mais gentil:

"Não se melindre. Você deve ter sido enterrada com essa roupa. Só falta o chapeuzinho para ficar com o traje completo. Vou recomendar ao Zé Grilo para não rir de você. Afinal, não tem culpa de estar vestida assim. Ainda bem que você tem sapatos. Eu fui enterrada sem eles e não consigo calçar nenhum. Vê? Estou descalça!"

Mary passou as mãos pelos seus cabelos que estavam presos num coque e pensou que, quando encarnada, gostava de usar chapéus. Depois, olhou para os seus pés. Estava calçada com seus sapatos cinza de salto médio. Observou Lia e viu que ela estava descalça. Ficaram alguns instantes em silêncio. Depois Lia falou:

"Você parece ser educada. Espero que seja instruída e que possamos conversar. Estar morta é muito chato: os vivos não nos escutam. Eu só tenho falado com Zé Grilo, e ele não tem uma conversa interessante".

Levantou-se do banquinho e começou a arrumar os cabelos. Queria prendê-los, mas não conseguia.

"Quer que eu a ajude? Sei fazer isso", falou Mary, prestativa.

"É mesmo? Não consigo prendê-los por não ter grampos."

Mary fingiu que tirava grampos dos seus cabelos, plasmou alguns, limpou os cabelos dela e os prendeu. Lia olhou-se num espelho[2] que estava num dos móveis, gostando do resultado:

"Obrigada! Venha comigo à casa. Eles vão almoçar e quero ver a minha filha, que ficou de vir".

Mary a seguiu e elas saíram do paiol. Andaram alguns metros e a socorrista viu um vulto, um desencarnado, que passou correndo. Lia explicou:

"Não se assuste. É o Zé Grilo. Ele é anão. Quando era vivo, ele era anão, e continua sendo depois de morto."

"Lia", disse Mary, "aprendi que estamos sempre vivos. Quando estamos vivendo num corpo físico, estamos encarnados; quando este morre, estamos desencarnados".

"Gostei!", exclamou Lia. "Na carne, encarnados, e sem o corpo de osso, pele etc, com o prefixo negativo 'des', desencarnados. Essas pessoas que a ensinaram isso devem ter razão. É coerente. Entendo as coisas com facilidade, tenho instrução, pois estudei."

Chegaram à casa, que era toda rodeada por uma varanda.

2 Os desencarnados vêem todos os objetos materiais como os encarnados, porém sua imagem não se reflete no espelho físico. Ao plasmar um objeto e sendo este um espelho, ele reflete a imagem do desencarnado. Lia plasmou sem saber, pela sua vontade, junto ao espelho material, um espelho em que ela se via. (N.A.E.)

"Que casa bonita!", exclamou Mary.

Lia sorriu apontando com a mão para uma porta e falou:

"Aproveite que está aberta e entre".

A casa era limpa, com bons móveis antigos e com muitos enfeites. Ao ver Mary se admirar, Lia explicou:

"A decoração foi modificada após a minha morte. Está diferente. A segunda esposa do meu marido, intrusa e invasora, modificou-a muito, enchendo de vasos, flores e enfeites. Venha por aqui".

Chegando à sala de refeições, encontraram dois casais almoçando. Lia falou, indicando-os:

"Este é Willian, meu marido ou ex, porque o ingrato já se casou de novo. Esta é Aidê, sua esposa. Esta moça linda é Giovana, a Gina, minha filhinha, e este é Agenor, seu esposo".

Mary observava tudo atentamente. Willian estava bem vestido, elegante; aparentava ter quarenta anos. Aidê era morena, alta, magra, tinha cabelos compridos bem cuidados e devia ter trinta e cinco anos. Agenor, o genro, era moreno e tinha cabelos e bigodes pretos; era um homem muito bonito. A filha, Gina, era robusta e tinha cabelos castanhos como os olhos. Lia continuou a falar:

"Gina casou-se muito nova, com dezessete anos. Faz dois que está casada. Na época fiquei receosa por ela ser muito jovem, mas ainda bem que deu certo. Agenor é bem mais velho e a trata muito bem. É discreto e conversa pouco. Não estranhe ao ver minha filha triste. Ela está aborrecida com o pai por ele ter se casado novamente e com tão pouco tempo de viuvez".

– Recebi uma carta de Jorge Luís! – exclamou Gina.

"Jorge Luís é meu filho mais velho. Mora em Londres", explicou Lia. "É filho do meu primeiro casamento. Willian não gosta dele por ele ser homossexual. Gina é minha filha e de Willian."

– Como ele está? – perguntou Willian.

– Jorge Luís está bem – respondeu Gina.

"Lia! Lia! Venha cá! Rápido! Corra!"

As duas escutaram o anão chamar Lia do lado de fora da casa. Saíram correndo e foram para o paiol. Lia perguntou:

"O que foi Zé Grilo? O que aconteceu?"

O anão saiu de trás dos sacos de milho e observou Mary, e esta a ele. Sua estatura era pequena: media cerca de noventa e cinco centímetros. Era estranho, tinha os olhos saltados e os lábios grossos e sorria mostrando ter poucos dentes. Estava sujo e tinha as unhas grandes.

"Não se assuste, Mary. Este é o Zé Grilo, um desencarnado, como você costuma chamar, ou seja, um vivo sem o corpo de carne. Ele mora na chácara ao lado e vem muito me visitar. Zé, esta é Mary, uma desencarnada perdida por aí que não tem onde ficar. Convidei-a para se hospedar aqui por alguns dias. Não ria dela. Não tem culpa de estar vestida assim."

"Oi!", exclamou Zé Grilo, esforçando-se para não rir.

"Diga logo o que tem para me dizer! Por que me chamou tão aflito? O que aconteceu?", perguntou Lia, curiosa.

"É que eu tinha visto esta aí", respondeu ele, apontando para Mary, "e queria avisá-la que havia uma pessoa estranha por aqui, mas pelo visto você também a viu e já sabe quem é."

"Claro que eu a vi! Escutem... É o barulho do carro de minha filha. Eles foram embora e eu não escutei as notícias de Jorge Luís", reclamou Lia.

"Gina falou que ele estava bem", disse Mary.

"Foi só isso que eu soube. Faz tanto tempo que não o vejo! Estou com muita saudade dele", suspirou Lia.

"Será que ele continua a gostar de homens?", perguntou Zé Grilo.

"Não ofenda meu filho!", gritou Lia, exaltada.

Zé Grilo assustou-se e tratou de se desculpar:

"Não quis ofender! Longe de mim xingá-lo! Eu o conheci pequenino. Só queria saber. Desculpe-me".

"Está bem, desculpo. Tenho estado muito nervosa. Jorge Luís deve estar como sempre. Como disse, mora muito longe. Não tenho como saber dele."

"Como você se chama?", perguntou Mary a Zé Grilo.

"José Ari. Zé Grilo é o apelido que tenho desde garoto", respondeu ele.

"Recebeu esse apelido porque era chato e gostava de incomodar as pessoas", falou Lia.

"Você, Lia, fica aqui neste paiol?", indagou Mary.

"Fico. Zé Grilo, não. Ele mora na chácara ao lado. Durmo ali!" Apontou para alguns sacos. "Não gosto de ficar dentro da casa. Eles fecham as portas e eu não tenho como sair. O paiol está sempre aberto. Depois, fico com muita raiva ao ver a intrusa no meu lar, toda dengosa com meu marido. É melhor ficar aqui mesmo."

"Você morreu há muito tempo?", perguntou Zé Grilo à Mary.

"Sim", respondeu ela.

"Fale desencarnou, Zé Grilo. É melhor do que dizer morreu", disse Lia. "É tão triste falar 'eu morri!'. Desencarnei há onze meses e meu marido já se casou de novo."

"Eu não sei quanto tempo faz que 'bati as botas', que morri", suspirou Zé Grilo.

"Já lhe falei muitas vezes que faz treze anos", disse Lia, alterada.

"Não seja metida a saber de tudo", respondeu Zé Grilo. "Você só sabe porque escutou muitas vezes Gina falar: 'Mamãe morreu há onze meses e papai já se casou de novo!'"

"É verdade! Perturbei-me quando meu corpo morreu. Eu me sentia e me sinto viva. Você não se sentiu confusa quando aconteceu com você?", perguntou Lia à Mary, que confirmou com a cabeça. Lia continuou a falar: "E você, Zé Grilo, está perturbado até hoje. Se, quando morri, fazia doze anos que você tinha falecido, então, agora, faz treze anos. Não se esqueça mais!"

"Eta, mulher brava!", exclamou Zé Grilo.

Nesse momento um encarnado entrou no paiol devagar e, olhando tudo atentamente, pegou uma ferramenta.

"Não me ofenda, Zé Grilo. Você está na minha casa! Anão retardado!", gritou Lia, não se importando com a entrada do homem.

"Você, dona Lia, é insuportável! Seu primeiro marido deve ter morrido de desgosto. E não foi à toa que o segundo a matou. Ninguém a suporta!", respondeu Zé Grilo, também gritando.

Lia pegou um vaso de metal e o atirou em Zé Grilo, que deu uma risada e saiu correndo. O homem que havia entrado ouviu o barulho e teve a sensação de ter ouvido uma gargalhada. Com a ferramenta nas mãos, ele saiu correndo, falando depressa e repetindo:

– Ave, Maria! Deus seja louvado! Cruz credo! Fora, satanás!

Mary compreendeu que Lia não pegara o vaso material. Não conseguiria pegá-lo e atirá-lo. Num instinto, no momento da ira, ela imaginou fazê-lo para atingir Zé Grilo. Pensou que o pegara, o jogara e plasmou o barulho, a situação. O fato aconteceu na imaginação dela. Isso não é ouvido pelos que estão na carne a menos que tenham sensibilidade, isto é, mediunidade. Espíritos que estão no plano físico podem fazer barulhos que outros espíritos escutam e onde fluidos físicos de pessoas no envoltório carnal que tenham mediunidade mais acentuada podem ser usados. Desencarnados que sabem manipular isso podem produzir barulhos iguais aos que são ouvidos por todos os encarnados. E isso também pode ser feito por espíritos que não sabem fazê-lo, mas que usam sua vontade. Lugares assim são quase sempre denominados assombrados.

Lia estava só um pouco perturbada, embora tivesse onze meses de desencarnada. Esse período de perturbação é relativo e depende de muitos fatores. Os que não aceitam a mudança de plano perturbam-se muito e se iludem, achando que estão encarnados. Lia aceitara o fato, e isso a fizera ter consciência de que seu corpo físico morrera e de que continuava viva, embora não soubesse viver desse modo e não entendesse ao certo o que estava acontecendo.

Lia riu e depois mudou de humor: ficou triste e sentou-se em alguns sacos. Enxugou algumas lágrimas, olhou para Mary que a observava quieta e falou:

"Sente-se aqui, colega de desencarnação, e não se assuste. Essa pessoa que entrou aqui é o Adelino, um empregado da chácara que vê e escuta a gente. Essas pessoas são chamadas de algo parecido com médicos".

"São médiuns", corrigiu Mary.

"É isso", disse Lia. "Esse empregado às vezes escuta os barulhos que fazemos. Já espalhou por aí que este paiol é assombrado, mas poucos acreditam nele, pois Adelino costuma mentir. É assim: quem mente não é acreditado quando fala a verdade. O anão é fofoqueiro. Foi nosso vizinho. Não gostávamos dele, mas agora, como não tenho com quem falar, aceito suas visitas. Porém, com você por perto, não precisarei mais dele."

"Lia, é verdade o que o Zé Grilo falou?", indagou Mary.

"Sobre meus maridos? Meu primeiro esposo era uma pessoa muito boa. Casamos jovens e apaixonados, tivemos dois filhos e ele morreu. Ficou doente e sofreu muito. Fiquei viúva jovem. Era bonita e rica. Então conheci Willian, apaixonei-me, casei e tivemos Giovana, a meiga Gina. Éramos muito mais ricos. Meu primeiro esposo sabia lidar com as finanças. Willian nunca fez nada. Deixou tudo para que os outros administrassem e com o tempo a nossa fortuna diminuiu. Mas ainda somos ricos, ou seja, eles são. Quanto à outra maldade que Zé Grilo disse, pode ser verdade. Acho que fui assassinada."

"Tem certeza ou acha?", perguntou Mary.

"Queria não ter sido", respondeu Lia, triste, "mas fui, e deve ter sido meu marido o assassino. Foi ele! Desconfiava que ele tinha uma amante. Essa Aidê deve tê-lo incentivado a me matar para casar-se com ele e ser a dona de tudo".

"A herança, com sua desencarnação, não foi repartida?", indagou Mary, querendo saber mais sobre o assunto.

"Foi. Quando meu primeiro marido morreu, fiquei com quase tudo. A terça parte foi repartida entre meus dois filhos. Quando Edson, meu segundo filho, faleceu, a parte dele ficou para mim. Com a minha desencarnação, tudo o que estava em meu nome foi dividido entre Willian e minha filha, porque Jorge Luís doou o que tinha direito para Gina. Willian havia passado alguns imóveis para seu nome com o meu consentimento. Não foram muitos, mas mesmo assim ele ficou um viúvo rico. Agora chega de falar. Vou descansar um pouco. Deite-se também por aí e sinta-se à vontade."

Lia deitou-se e Mary transmitiu fluidos benéficos a ela, que adormeceu tranqüila.

Mary ficou observando por alguns minutos o local. Depois orou pedindo a Deus que a iluminasse e a ajudasse a ser útil. Resolveu então visitar o posto de socorro da região como Carlos Augusto havia recomendado. Concentrou-se, sintonizou-se, desejando ir até lá, e volitou devagar, atraída para a casa. Isso pode ocorrer conosco, desencarnados: nos concentramos e somos levados para onde desejamos ir. É a força da atração, do pensamento. Quando em estudo na Espiritualidade aprendemos a viver como desencarnados, recebemos instruções sobre como localizar, ou ir sem conhecer, postos de socorro, colônias e como sentir as vibrações desses locais.

Mary logo encontrou o posto de socorro. Ficava próximo à cidade, cercado por muros altos. Achou o portão, bateu e mentalizou que queria conhecer o lugar. A porta foi aberta e uma servidora a atendeu:

"Saudações em Cristo! Bem-vinda! Entre e converse conosco".

"Sou Mary. Atualmente faço estágio numa colônia de estudos. Estou no plano físico, aqui na região, para resolver um problema."

"Venha. Vou levá-la até o nosso orientador."

Mary achou o posto de socorro muito bonito, simples e acolhedor. Seguiu sua cicerone, que a levou a uma sala particular.

"Este é Orestes, nosso orientador!"

Após cumprimentos, que são sempre muito agradáveis, Mary ficou quieta, constrangeu-se. Não tinha o que falar sobre o que estava fazendo ali. O orientador a compreendeu:

"Mary, conte conosco se precisar de alguma coisa".

"Obrigada! Acho mesmo que irei precisar. Estou aqui perto, numa chácara, e não sei bem o que terei de fazer, porém estou disposta a fazê-lo a contento."

"E com certeza o fará!", exclamou Orestes, sorrindo.

"Está na hora de nossa oração", disse a moça que a recepcionara. "Não quer vir ao jardim e participar?"

"Quero! Obrigada!"

Mary despediu-se, agradecendo a Orestes e acompanhando a moça, que lhe explicou:

"Todas as tardes neste horário, fazemos uma oração conjunta, e trabalhadores e internos que se encontram em melhores condições vêm ao jardim. As preces feitas são ouvidas por todos do posto e até pelos que não conseguem escutar; os que se agitam no leito acalmam-se com o poder benéfico da oração. Orestes tem incentivado todos a orar, a tornar-se receptivos para receber as graças pedidas. Entendemos que é pela oração sincera que nos ligamos às forças benéficas e às energias restauradoras".

Mary viu um grupo de doze pessoas rezando. Não precisou indagar, sua cicerone esclareceu:

"Aqui todos têm liberdade para rezar como quiser. Somos cristãos, estudamos os Evangelhos e somos esclarecidos para que sigamos os ensinamentos do Mestre Jesus. Apenas algumas orações são transmitidas, e são normalmente feitas por três pessoas: um trabalhador e dois internos. Essas orações devem ser breves, normalmente de três minutos. Antes é lido por Aparecida, uma trabalhadora que tem a voz muito bonita e muito conhecimento, um texto do livro *O Evangelho Segundo o Espiritismo*, de Allan Kardec, sempre seguido de uma explicação. Mas nada impede que grupos religiosos se reúnam para fazer suas preces antes ou depois do horário marcado. Você está vendo ali abrigados que, quando encarnados, oravam o terço. Aqui eles oram também. Aqueles três do outro lado farão depois suas orações. Eles pertenciam a outras religiões".

"Aqui não se discute religião, como às vezes se faz no plano físico?", quis saber Mary.

"Não é permitido. Se isso acontece, um trabalhador interfere, chamando a atenção dos envolvidos com firmeza."

"São muitos os religiosos que estranham a mudança de plano?", indagou Mary.

"A maioria estranha, revolta-se, não quer aceitar por encontrar a Espiritualidade diferente do que pensavam e imaginavam. Os únicos que não estranham e não discutem, aceitando agradecidos o socorro que recebem, são os que foram esclarecidos quando encarnados, são os que viveram aprendendo a amar todos como irmãos."

Aparecida, uma senhora de aspecto agradável, acomodou-se no centro do jardim, abriu o Evangelho e leu um trecho de Mateus:[3]

[3] Mateus, 7: 24-27. (N.A.E.)

"Todo aquele, pois, que ouve estas minhas palavras e as observa será semelhante ao homem sábio, que edificou a sua casa sobre rocha; e caiu a chuva, e transbordaram os rios, e sopraram os ventos, e investiram contra aquela casa, e ela não caiu, porque estava fundada sobre a rocha. E todo o que ouve estas minhas palavras e não as pratica será semelhante ao homem louco, que edificou a sua casa sobre areia; e caiu a chuva, e sopraram os ventos, e investiram contra aquela casa, e ela caiu, e foi grande a sua ruína".

Aparecida fechou o livro e falou com emoção:

"Prudentes e imprudentes ouvem as palavras de Jesus que foram escritas nos Evangelhos. Esse texto maravilhoso, que encerra o Sermão da Montanha, nos mostra que muitos sabem o que Jesus ensinou e que a diferença está na realização. Ter boas idéias, dizer que é lindo, fazer planos e não realizá-los; são como os que fizeram sua casa sobre a areia da ilusão, são os muitos que dizem: irei fazer e não fazem. É prazeroso ouvir os ensinamentos do Mestre Nazareno, mas só isso não resolve. Quando tudo está bem para nós, a construção na areia parece firme; porém, quando nos vemos em dificuldades, com problemas dolorosos, ela desaba, não resiste ao sofrimento, à tempestade. Idéias, ideais, planos são necessários, mas é preciso que se concretizem, que se tornem obras. Só na prática dos ensinamentos de Jesus, com boas ações, com amor verdadeiro, é que construímos nossa casa na rocha, onde as adversidades não a derrubam. A casa que não cai é a construção que fazemos em nós e que nos acompanha na Espiritualidade".

Após a breve explanação, um trabalhador fez sua prece:

"Senhor, que Tuas bênçãos caíam sobre nós, iluminando nossos caminhos, para que possamos seguir Teu exemplo Divino de trabalho. Porque Jesus disse: 'meu Pai trabalha'. O Mestre Nazareno também e nós devemos seguir Seus exemplos e ser úteis. Obrigado pelas oportunidades que nos dá de reparar nossos erros e aprender servindo. Assim seja!"

Depois foi até o centro uma abrigada, uma senhora que Mary vira no grupo que estava orando. Ela fez sua oração:

"Maria, mãe de Jesus, rogai por nós, que tanto pedimos para ser auxiliados na hora da nossa morte. Pai, ajudai-nos a aceitar essa mudança diferente do que pensávamos. Suaviza essa saudade tão dolorosa que sentimos dos nossos familiares. Sabemos que eles sofrem..."

Ela chorou emocionada. Aparecida a acalentou e as duas terminaram com uma Ave-Maria, mudando a segunda parte para: "Maria, mãe do nosso Mestre Amado Jesus, esteja sempre nos amparando".[4]

A terceira oração foi feita por outro abrigado, um rapaz que aparentava estar bem. Ele fez sua prece com tranqüilidade:

"Obrigado, Senhor, por tudo o que nos dá. Agradeço a estes irmãos que trabalham para o nosso bem-estar. Que bons fluidos caiam nesta casa, dando-nos consolo e alegria. Ajude-nos a compreender nossa situação de desencarnados e a aceitar a nova maneira de viver. Que possamos passar de servidos a servidores. Ensine-nos a amar e a estender esse carinho ao próximo e a esta casa que nos abriga. Ajude-nos a ser gratos e a suportar a saudade, e que possamos compreender que em momento algum podemos sair daqui sem permissão. Nossa forma de viver mudou, mas continuamos vivos. Graças a Deus!"

Mary emocionou-se. A transmissão findou. Alguns grupos ficaram pelo jardim, orando. Ela despediu-se da moça que a recepcionara com um

---

[4] Como se trata de um posto de socorro que está próximo do plano material, as pessoas ainda têm muitos reflexos desse plano, inclusive o hábito de orar com mensagens decoradas. E só aos poucos as pessoas vão modificando isso, com estudo e entendimento. (N.A.E.)

abraço e volitou de volta à chácara. Entrou no paiol. Lia continuava adormecida. Minutos depois, entrou Adelino, o empregado médium, acompanhado de uma outra moça:

– Eva, eu escutei um barulho como se um objeto de metal tivesse sido jogado e ouvi uma gargalhada – disse ele.

– Adelino – falou a moça –, você está falando isso só para me deixar com medo. Coloque aí a ferramenta e pegue a que precisa. Tenho muito o que fazer. Vou passar roupa e dona Aidê é exigente. Não posso ficar vindo aqui com você! Deixe de ser medroso!

– Medroso! Não é você que vê e escuta os defuntos! – exclamou Adelino.

– Por que não vai ao centro espírita e pede ajuda a eles? – perguntou a moça.

– Eu já fui lá. Eles me falaram que eu tenho de freqüentar a Casa e trabalhar, ajudando essas almas penadas. Mas eu não quero!

– Então não reclama! – exclamou a moça.

Os dois saíram. Lia levantou-se, reclamando:

"Nem aqui no paiol eu posso dormir sossegada! Esses dois me acordaram. Essa moça é Eva, uma das empregadas. Temos uma outra, a Isaura, que faz muito tempo que está conosco. Já que acordei, vou lhe mostrar o local. Venha!"

Mary a seguiu. Entraram na casa e Lia foi lhe mostrando tudo:

"Aqui é a cozinha! A sala de estar, a de jantar... Ali é o escritório. Tem muitos livros!"

Mary olhou para a estante. Havia realmente muitos livros e diversos seus, que escrevera quando encarnada. Lia os apontou:

"Willian gosta muito de ler. Veja estes! Conhece? Ensina como assassinar sem ser descoberto".

"Mas no final os criminosos são castigados", falou Mary.

"Pode ser, mas a infeliz que escreveu isso deu idéias ao meu marido de como me matar. Venha! Vamos ao andar de cima. Lá estão os quartos."

Lia a puxou. Subiram as escadas e ela foi lhe mostrando tudo:

"Aqui era nosso quarto. Willian preferiu ficar agora no que era de Jorge Luís. Decorou-o todo. É lá o quarto do casal. Está trancado. Pena que as portas estão fechadas. Eu os mostrarei a você numa outra hora, quando Eva os estiver limpando. Só que temos de ficar espertas para não ficar presas neles, pois ela os limpa duas vezes por semana".

Desceram as escadas devagar e Lia voltou a falar:

"Estou gostando de você. Sabe escutar. Achou a casa interessante? Não é própria para um assassinato?"

"Lia", disse Mary, "você deduziu que foi assassinada e acha que foi seu marido. Como foi isso? O que aconteceu para seu corpo morrer? Alguém está preso pelo crime?"

"Vou lhe contar tudo. Venha!", falou Lia, convidando-a a sair da casa.

capítulo três

Os Cogumelos

Lia dirigiu-se ao pomar e lhe mostrou um galpão pequeno, uma construção que se encontrava quase toda destruída embaixo de algumas árvores grandes, mangueiras e jabuticabeiras. A antiga construção devia ter dez metros de comprimento por quatro de largura.

"Aqui era onde eu fazia meu cultivo de cogumelos. Com a minha morte, Gina quebrou e destruiu tudo."

"Por quê?", perguntou Mary.

"Ela não quer mais esse tipo de cultivo aqui na chácara. Acabou com os meus cogumelos. Vamos ao paiol. Lá contarei tudo o que aconteceu."

Depois que se acomodaram, sentadas em alguns sacos vazios, Lia começou a falar:

"Estava casada com Willian, Gina já era uma menina, quando tomei pela primeira vez uma sopa de cogumelos. Gostei demais. Resolvi cultivá-los aqui na chácara. Assim, não precisaria comprá-los. Eram muito caros. Paguei para um japonês vir aqui me ensinar. Li bastante sobre o assunto. Willian era contra. Dizia que era arriscado ter algum venenoso. Mas eu sabia distingui-los e me gabava disso. Aprendi a fazer várias sopas, e duas vezes por semana meu jantar era sopa de cogumelos. Willian enjoou. Dificilmente ele as provava. Adelino, que às vezes fazia as refeições aqui, também não gostava. Dizia ter gosto de mofo. Isaura as fazia sem experimentar e Eva dizia também não tomá-las por ter enjoado. Gina gostava. Quando vinha jantar conosco, ela tomava a sopa comigo. Meu genro não apreciava. Então, normalmente só eu tomava a sopa. Era para mim uma distração cuidar deles, colhê-los, lavá-los e então levá-los para Isaura preparar a sopa. E foi depois de ter tomado uma sopa de cogumelos que morri, ou seja, que meu corpo de carne e osso morreu."

"Seu corpo físico morreu por isso? Tem certeza? Poderia ter tido um enfarte", falou Mary.

"Poderia, mas não tive. Soube disso ao escutar dias atrás uma conversa entre Isaura e Gina.

Como lhe disse, Isaura está conosco há muito tempo. Ela me ajudou a criar meus filhos. Gosta deles, e eles dela. As duas falavam que fizeram a autópsia e que meu falecimento se deu por envenenamento por cogumelos. Por isso Gina destruiu meu cultivo. Todos pensaram que eu não soube distinguir algum cogumelo venenoso. Só que tenho certeza de que não havia nenhum tóxico. Sabia distingui-los. Tinha conhecimentos sobre eles."

"Não pode ter se enganado?", perguntou Mary.

"Infelizmente, não! Alguém colocou na minha sopa o veneno. Fui assassinada! Não é tudo simples? Criativo? Foi Willian, e ele tinha motivos para me matar! Era mais velha do que ele. Estava gorda, feia. E talvez Zé Grilo tenha razão: era ciumenta, ranzinza, mandona. Willian já não me queria mais. Com a minha morte, ele ficaria livre, rico e poderia casar com sua amante. Gostava tanto desse saboroso prato! E foi meu último jantar!", suspirou Lia, tristemente.

"Algum encarnado desconfia disso?", indagou Mary.

"Não, ninguém. Só Gina sentiu minha morte, como também o fato de o pai ter se casado tão depressa. Ela acredita, como todos, que peguei um cogumelo venenoso por engano. Você está com dó de mim?"

"Se quiser, eu a ajudo a desvendar esse mistério", falou Mary, sem responder o que Lia lhe perguntara.

"Se descobrir o que aconteceu e o culpado for punido, terei paz", suspirou Lia.

"Você quer se vingar?", perguntou Mary.

"Não. Eu só quero que, como nos livros, o assassino seja preso", respondeu Lia.

"Lia, há outras formas de os desencarnados viverem, em que podem ser felizes morando em locais bonitos", expressou Mary, mudando de assunto e tentando orientá-la.

"Deve haver mesmo. Não vejo por aqui Geraldino, meu primeiro esposo, nem Edson, meu filho que desencarnou. Mas, eu não saio daqui sem descobrir o que aconteceu. Se você quiser me ajudar, aceito. Só não sei como o fará. Desculpe-me, não quero ofendê-la, mas você não parece ser esperta para isso. É uma senhora um tanto bobinha, digo, educada demais."

Mary sorriu, achando graça. Lia realmente pensava isso dela. Mary então disse:

"Vamos investigar! Voltaremos à casa e escutaremos as conversas. Poderemos descobrir alguma coisa com os comentários".

"Está bem! Vamos!"

Encontraram o casal na sala de estar. Tinham feito a sesta no aposento deles e estavam esperando pelo chá que a empregada fora providenciar.

"É por isso que não gosto de ficar por aqui, para não ver o comodismo deles nem o jeito dengoso como Willian trata esta mulher", falou Lia, com desprezo.

"Lia, vamos ficar quietas e escutá-los."

– Querida – disse Willian para Aidê –, você melhorou dos enjôos?

– Melhorei, obrigada – respondeu Aidê. – Sua filha não gostou da notícia de que vai ganhar um irmãozinho. Ela até engasgou!

"Você tem razão, Mary", falou Lia, baixinho. "Podemos saber muito escutando, embora seja um hábito feio. Mas vou esquecer a minha esmerada educação! Então esta mulherzinha está grávida! Foi por isso que convidaram minha filha e meu genro para almoçar, para lhes dar a notícia. Gina até engasgou! Ela é como eu: engasga sempre quando recebe uma notícia inesperada e importante. Vamos ficar em silêncio para escutá-los."

Mary sorriu, pois era Lia quem falava. Ficaram ouvindo.

– Levaram dois sustos, ou melhor três – disse Aidê. O primeiro quando você voltou da viagem casado. O segundo quando, ao chegar, disse aos dois que eu era rica. O terceiro foi esse, que um nenê está a caminho. Achei engraçado o espanto do Agenor quando soube que eu não me casei por interesse. Seu genro é muito quieto, não é? Acho-o estranho.

– É uma boa pessoa! – exclamou Willian. – É mais velho que Gina, trata-a muito bem e faz todas as suas vontades. É quieto mesmo. Não se envolve com os nossos problemas. Lia gostava dele.

Eva, a empregada, entrou com a bandeja, levando o chá e a correspondência.

– Senhor Willian, Adelino trouxe as cartas. Querem mais alguma coisa?

– Não, obrigada! – respondeu Aidê.

Eva saiu e Aidê falou baixinho para o marido:

– Seus empregados, meu querido, não têm modos educados. Necessito orientá-los ou trocá-los.

Cada um abriu a sua correspondência. Lia virou-se para Mary e indignada também falou baixinho:

"Petulante! Trocar meus empregados! Isaura nos serve desde que me casei pela primeira vez e Eva veio para cá meninota".

– O dinheiro está depositado em minha conta, querido – disse Aidê.

As duas se inclinaram para ver o valor. Lia abriu a boca. Mary pensou que ela fosse engasgar. Lia então suspirou e exclamou:

"Ela é rica mesmo!"

– Você está sentindo falta da escola, querida? – perguntou Willian para Aidê.

– Não – respondeu ela. – Deixei Márcia tomando conta de tudo. Ela é uma boa funcionária, responsável e de confiança. Eu precisava descansar. Depois, estou grávida, realizando um sonho. Queria tanto ter um filho! Agora só quero curtir a gravidez e depois o nenê. No futuro, vou abrir uma escola nesta cidade e você, meu querido, irá me ajudar com as finanças.

– Será um prazer, meu amor! – exclamou Willian.

– Veja, meu bem – disse Aidê –, um folheto de propaganda daquele restaurante à beira do lago, onde nos conhecemos. Como será que descobriram meu novo endereço? E está com meu nome de casada!

– Deve ter sido alguma de suas amigas que deu a eles nosso endereço – respondeu Willian. – Como aquele restaurante é encantador! Nunca vou esquecer aquela noite em que a conheci. Você estava linda com aquele vestido preto. Quero, minha querida, festejar lá quando fizer um ano que nos conhecemos.

– Não aconteceu tudo depressa demais? Não faz nem mesmo um ano que nos conhecemos e já estamos casados e eu esperando um filho!

– Não acho que foi rápido – respondeu Willian. – Amei você logo que a vi. Estava triste com a viuvez. Viajei por insistência de Gina, para me distrair. Encontrei você, namoramos. Quando soube que você estava grávida, fiquei muito feliz e quis casar logo. Obrigado, querida, por ter me devolvido a tranqüilidade e a felicidade!

Willian beijou a mão dela. Sorriram felizes. Lia fez um sinal para Mary, para se afastarem. Foram à varanda e a ex-proprietária da casa falou, muito triste:

"Você viu como ele a trata? Com todo dengo e carinho! Comigo ele não era assim!"

"Nem no começo do casamento?", perguntou Mary.

"É... No começo ele era assim!", expressou-se Lia, suspirando. "Mary, a Aidê corre perigo. Não gosto dela. É uma assanhada que se casou com um recém-viúvo. Só que Willian vai matá-la! Os acontecimentos estão mudando. Não era ela a amante dele, porque eles se conheceram depois que eu morri, ou seja, desencarnei. Então quem era sua amante? Aidê não casou com ele por dinheiro. Pelo que vimos, ela é mais rica do que Willian. Foi ele quem se casou por interesse."

"Pode ser que Willian goste dela de verdade", falou Mary.

"Não seja uma velha boba! Desculpe-me, Mary! Você é a única que me escuta. Não quero ofendê-la! Vamos raciocinar: se Willian tinha uma amante, será que ele ainda a tem? Não gostava dela? Deve ter se casado com Aidê por interesse. E, se foi isso, irá matá-la, como fez comigo, para herdar seus bens. Se ele foi fingido comigo, pode também estar sendo com ela."

"Lia, quanto tempo você ficou casada com Willian?", perguntou Mary.

"Vinte anos", respondeu Lia.

"Não acha que ficaram juntos tempo demais?"

"Você quer dizer que ele esperou muito para me matar? Pode ser, mas foi só quando ele se apaixonou por outra que quis me descartar, e para herdar minha fortuna me assassinou. Quando ele encontrou a coitada da Aidê, que estava louca para casar e ter filhos, resolveu dar o segundo golpe. Ele é um criminoso!"

"Você mudou seu conceito sobre Aidê muito rapidamente", comentou Mary.

"Claro, soube agora de fatos que desconhecia, que ela não era a amante dele e que é rica. Arrepio-me só de pensar que logo Aidê estará entre nós: desencarnada, e por assassinato", falou Lia.

"Você tem certeza mesmo de que não se enganou com os cogumelos? Será que não foi uma distração sua e não houve crime nenhum?", perguntou Mary, falando devagar, com receio de deixar Lia nervosa.

"Você não entende nada de assassinatos!", respondeu Lia. "Deve ter sido quando encarnada uma dessas mulheres que nunca ouviu falar de crimes. Não deve entender desse assunto. Vou responder a você pela última vez: não me enganei! Colocaram em minha sopa um cogumelo venenoso. Fui assassinada! E pelo meu marido! Entendeu?"

"Sim, entendi", respondeu Mary. "É que Willian não me parece um criminoso."

"E assassino tem cara diferente? Que bom seria se todos os criminosos fossem diferentes das outras pessoas, se tivessem, para distingui-los, uma marca ou até mesmo um escrito na testa dizendo o que fizeram de errado. Se assim fosse, não precisaria ter investigadores, e o trabalho da polícia seria mais fácil. Estou com dó da minha filha! Vai ter um irmão com idade de ser mãe. Também estou com dó dessa criança. Terá, como minha Gina, um pai assassino da própria mãe. Que vou fazer? Que vamos fazer?"

"Vamos escutar mais. Devemos ir até a cozinha e ouvir os empregados", respondeu Mary.

"É isso! Empregados escutam muito e falam mais ainda. Vamos à cozinha!"

As duas empregadas estavam na lavanderia cuidando das roupas.

"Esta é Isaura", disse Lia a Mary. "Logo que casei com Geraldino, ela veio trabalhar conosco. É honesta, trabalhadeira e gosta muito de todos nós. Eva, que você já conhece, ficou órfã aos doze anos e não tinha para onde ir. Isaura a trouxe para cá e ficou com ela no seu quarto. Fiquei com pena dela e coloquei-a na escola, pois era analfabeta, levei-a ao médico, ao dentista, comprei roupas e ela passou a ajudar nos trabalhos da casa. É uma mulata bonita, não é?"

Mary fez um sinal para Lia se calar e escutar.

– Eva, cuidado com o que faz! – disse Isaura.

– Isaura, você sempre foi boa para mim, mas não enche! Já lhe disse e afirmo que não estou mais interessada no patrão. Tenho saído com o Nelson, o mecânico!

"O quê?", disse Lia, que se assustou e engasgou. [1]

[1] Desencarnados como Lia, que preferem continuar vivendo como encarnados, têm os reflexos do físico, sentem como se ainda usassem a roupagem de carne. Engasgar, fato que acontece com os encarnados, se dá com eles também. Continuam com outros costumes que tinham, como falar baixo para não serem ouvidos. (N.A.E.)

Mary a ajudou lhe dando tapinhas nas costas e pediu para ficar em silêncio:

"Lia, vamos ouvir!"

– Espero que você esteja falando a verdade, Eva! – expressou-se Isaura, contrariada. – Senti muito quando soube que você era amante do sr. Willian, e não venha me dizer que foi depois que dona Lia faleceu. Vocês já tinham um caso antes.

– Isaura, não seja intrometida! Gostei do sr. Willian. Já não gosto mais. Ele me decepcionou. Fui amante dele, tivemos alguns encontros, e foi só! – disse Eva, ficando triste por alguns momentos.

– Você sonhou em se casar com ele! Ser a dona desta casa! Confessa! – falou Isaura, enérgica.

– Está bem, é verdade! – exclamou Eva, suspirando. – Quando ele voltou da viagem casado, sofri, até chorei. Mas sou muito nova, bonita, e Nelson está interessado em mim, quer até se casar comigo. Ele tem a oficina mecânica e uma casa na cidade. Vou me casar com ele e me dar bem. Não serei mais empregada.

– Eva, por favor, não faça nada errado! Eu lhe peço! – expressou-se Isaura, em tom carinhoso.

– Chega de me amolar! O que pensa que sou? Uma assassina? Está achando que matei dona Lia? Não entendo nada de cogumelos nem gosto deles. É um absurdo você achar que quero matar dona Aidê. Pare, Isaura, de pensar isso! Por favor!

– Eva, na noite em que dona Lia morreu, eu tomei um pouquinho de sopa e não aconteceu nada comigo.

– Tomou pouco! Dona Lia sempre tomava muito! Eu não fiz nada! Não matei ninguém! – exclamou Eva, nervosa.

A bonita mulata estava suando. Ela passou a mão na testa e ajeitou os cabelos. Estava muito nervosa. Isaura a olhou com carinho. Gostava dela e estava realmente preocupada.

– Não falei a ninguém que tomei a sopa naquela noite. Pensei como todos que dona Lia morrera do coração. Quando veio o resultado da autópsia, levei um susto. Eu também poderia ter morrido.

– Já falamos sobre isso – disse Eva. – Se a sopa foi envenenada depois que estava na sala de jantar, não pode ter sido eu. Eu estava com você na cozinha.

– E o carro da dona Aidê? – perguntou Isaura.

– Não entendo de mecânica! – respondeu Eva.

– Mas está saindo com um mecânico! – disse Isaura, suspirando.

– Só pode ter sido um acidente! Por favor, Isaura, não pense isso de mim. Gosto de você!

Meu erro foi ter dado atenção ao sr. Willian, não ter resistido à sua sedução e ter sido amante dele. Chega de conversa. Vou passar roupa!

Isaura foi para a cozinha. Lia estava com os olhos muito abertos, bem como com a boca. De repente deu alguns gritos e pegou Eva pelo pescoço.

"Sua ordinária! Ingrata! Traiu-me depois de tudo o que lhe fiz!"

Eva não ouviu nem a viu. Sentiu um ligeiro mal-estar e passou as mãos pelo pescoço. [2]

Mary segurou Lia e falou com firmeza:

"Calma, amiga! Calma! Venha comigo!"

Lia se deixou levar e chorou de soluçar. Foram para o paiol. Mary a fez sentar-se nos sacos vazios e sentou-se junto. Colocou a cabeça dela no seu colo e passou as mãos com carinho nos seus cabelos. Ela chorou por alguns minutos em desespero. Depois foi se acalmando e falou em desabafo:

"Eva me traiu! Sinto mais por isso! Sou inteligente e sabia que Willian, mais novo do que eu, bonito e charmoso, tinha outras mulheres. Ultimamente sentia que ele estava com alguém especial. Nunca poderia imaginar que fosse Eva.

---

[2] Nem todo mal-estar de encarnados se dá por esse motivo. Naquele momento, pela conversa com Isaura, Eva sentiu-se culpada e Lia criou uma energia forte de raiva e rancor. (N.A.E.)

Que tristeza! Que decepção! Viu no que deu investigar, escutar conversas alheias?", falou Lia, suspirando tristemente.

"Mas agora sabe de mais coisas!", expressou-se Mary, sem saber o que falar.

"Você tem razão. Já sei de tudo! Willian e Eva eram amantes e resolveram me matar. Ele quis ficar livre, viúvo, para casar-se com ela, que é novinha, bonita e magra. Quando morri, eles resolveram esperar um pouco para assumir o romance. Aí ele viajou e teve oportunidade de dar outro golpe: conheceu Aidê e se casou. Ele me matou e a matará também. Ficará mais rico e casará com Eva. Que moça ingrata! Sempre a tratei bem. Permiti que viesse para cá quando não tinha para onde ir! Como a ingratidão dói!"

"Será que Eva a matou ou ajudou a matá-la?", perguntou Mary.

"Até você começa a achar que fui realmente assassinada. Não sei! Não creio que ela fez sozinha. Embora tenha estudado, ou melhor, freqüentado a escola, ela tem pouca cultura e não é inteligente para ter planejado tudo isso, ou seja, ter elaborado meu assassinato de forma a parecer um acidente, um engano terrível de minha parte. Depois, se ela estava na cozinha, só sobrou uma pessoa na sala: Willian. Ele é instruído, esperto e sempre leu aqueles livros de mistério."

Mary entristeceu-se, esforçou-se para tranqüilizar-se e, quando conseguiu, orou. E, como sempre quando oramos recebemos energias benéficas, ela as sentiu e as transmitiu para Lia, que adormeceu. Devagar, Mary acomodou a cabeça dela e saiu. Foi para o jardim e rogou ajuda a Carlos Augusto. Não tardou muito e ele foi até ela. Beijou-lhe as mãos e indagou com carinho:

"Mary, por que está insegura?"

Ela lhe contou tudo, falando depressa e finalizando:

"Não é mais fácil saber logo se houve assassinato e quem o praticou?"

"Você sabe fazer isso? Não! Então continue aqui com Lia e a ajude. Foi para isso que veio. Você, minha cara Mary, tentará viver um fato que por muito tempo só imaginou."

"Fui culpada? Meu Deus! Nunca quis isso!", exclamou Mary.

"Não foi culpada! Não é! E não se sinta assim!", disse Carlos Augusto, com carinho. "Pode acontecer de alguém fazer algo com boa intenção e outros o usarem para o mal. Por exemplo: a faca foi feita para facilitar a tarefa do ser humano, e esse instrumento foi e é muitas vezes utilizado para matar e ferir. Medicamentos que pessoas passaram anos estudando para diminuir dores são usados para outros fins. Há abusos quando deveria haver usos. Errados são os que os utilizam para o mal, e não quem os fez. Você não errou, Mary, e não pode ter responsabilidades se alguém utilizou erroneamente suas idéias. Mas, se não ajudar a esclarecer esse fato, nunca saberá se o criminoso usou de suas idéias, de seus livros. Tenha calma! Confio em você, minha cara detetive."

"Será que nesta casa acontecerá outro crime?", perguntou ela.

"Como interferir no livre-arbítrio de alguém? Como impedir nosso próximo de fazer algo errado? Como seria bom se pudéssemos evitar que as pessoas cometessem maldades, como assassinatos. Você poderá auxiliar Lia. E, se puder ajudar mais alguém, será ótimo."

"Lia não sabe quem sou eu. Devo falar?", indagou Mary.

"Não, é melhor não falar que foi você quem escreveu os tais livros. Seja aqui uma socorrista, uma pessoa que presta auxílio."

"E se eu não souber ajudar?", perguntou ela.

"Saberá, sim!", falou Carlos Augusto, com convicção. "Mas, se tiver dúvidas, ore, Mary. Pela oração recebemos orientações dos bons espíritos, inspirações do alto, divinas. Ame todos os envolvidos. Quando amamos, sentimos as dificuldades dos outros como se fossem as nossas e ajudamos com mais precisão. Poderíamos levar Lia para um socorro. Mas ela ficaria? Já esteve em um abrigo. Enquanto ela não souber de tudo, não sossegará nem deixará de maldizer a escritora. E você, agora também com dúvidas, não ficará sem receber os clamores dela e se sentirá mais incomodada."

"Você tem razão, Carlos Augusto. Vou tentar desvendar esse mistério, ajudar os envolvidos e confiar mais."

"E pode contar comigo. Tentarei vir todas as vezes que me chamar. Devo ir. Até logo!"

Carlos Augusto volitou e Mary sentiu-se envergonhada por tê-lo chamado. Sabia que ele tinha atividades vinte e quatro horas por dia. Sentiu-se confiante por ter falado com ele e entrou na casa.

capítulo quatro

A Tentativa

Mary foi para a sala. Willian estava sozinho lendo um jornal. Ela aproveitou para ver se conseguia induzi-lo a pensar no ocorrido e escutar seus pensamentos. Ele largou o jornal e pensou:

"Casei muito novo com Lia. Encantei-me com ela, uma viúva bonita e rica. Da nossa união nasceu Giovana, que tanto amo. Fiquei viúvo, fiz aquela viagem e encontrei Aidê: bonita, elegante e muito rica. Tive sorte. Estamos bem e vamos ter um filho".

Por mais que Mary tentasse, ele não pensava mais em Lia. Estava empolgado com a nova esposa e fazia planos para um futuro feliz. Ela desistiu e voltou para o paiol. Olhou para Lia, que estava dormindo, e a chamou baixinho. Lia acordou, sentou-se e exclamou:

"Nunca pensei que mortos dormissem! E eu o faço sempre. Acho que tive um pesadelo! Ou não? Foi verdade? Eva era a amante de Willian. Os dois me traíram! Qual deles me assassinou? Foram os dois juntos? Que tragédia que ocorreu comigo!"

Antes que Lia começasse a se lamentar ou chorar, Mary a convidou:

"Willian e Aidê já devem ter jantado. Vamos ouvir o que eles conversam?"

"É perigoso! Se eles fecharem as portas, ficaremos lá dentro, e eu não quero ficar na casa com eles", respondeu Lia, com ar de preocupação.

"Isso não é problema. Sei abrir as portas da casa dos encarnados. Aprendi e posso fazer isso."

"É mesmo? Você sabe? Isso é incrível! Bem, se você consegue, podemos ir. Vamos bisbilhotar!"

Escurecia. Ao sair do paiol, elas viram Eva saindo da casa e indo em direção à cidade. Lia explicou:

"Eva tem ido freqüentemente pernoitar na cidade. Tem amigos por lá e, se for verdade que está namorando esse mecânico, vai dormir na casa dele."

Mary fingiu que abriu a porta e empurrou Lia para dentro. Esta passou pela porta fechada sem perceber que ela não fora aberta.

Desencarnados que têm conhecimentos fazem isso facilmente. E alguém como Mary pode fazer com que outros que não os tenham passem pela porta. Lia teve a sensação de que ela abriu e fechou a porta. Mas, isso não aconteceu. Desencarnados podem atravessar objetos materiais.

"Você sabe mesmo! Que bom!", exclamou Lia.

Passaram pelas salas e foram encontrá-los na varanda, na frente da casa, sentados em cadeiras que rodeavam uma pequena mesa.

"Se soubéssemos que estavam aqui, você não precisaria ter aberto a porta. Era só contornar a área externa. Vamos ficar perto deles", disse Lia.

O casal falava entusiasmado. Faziam planos para quando o filhinho nascesse, escolhiam nomes, padrinhos etc. Não diziam nada que as interessassem. Lia ficou impaciente e reclamou:

"Willian não me tratava assim. Eram raros os momentos em que conversávamos. Normalmente era eu quem falava. Como dá atenção a ela! Mas será que planeja matá-la? Estará pensando nisso?"

Mary estava desistindo de ficar ouvindo-os e pensou em sugerir à sua companheira que voltassem ao paiol, quando viu algo se movendo na sacada acima.

"O vaso!", gritou Mary.

Ela gritou com tanta convicção que seu grito foi sentido por Willian. Este instintivamente olhou para cima e percebeu que o vaso ia cair. Ele se levantou rapidamente, empurrou para o lado a cadeira onde Aidê estava sentada e a protegeu com seu corpo. O vaso caiu, espatifando-se bem no local em que Aidê estava sentada antes de Willian empurrá-la.

– Você está bem, querida? Machucou-se? – perguntou Willian, assustado e ofegante.

– E... Eu... – Aidê não conseguia falar.

"O vaso ia cair em cima dela", falou Lia para Mary. "Vamos acudi-la. Parece que ela vai desmaiar."

Mary ficou na dúvida. Não sabia se ia ao andar de cima tentar ver quem estava lá ou se acudia Aidê, que estava branca, tremendo, suja da terra que se espalhara e com um pequeno corte na testa, pois fora atingida por um dos pedaços do vaso de cerâmica.

– Isaura! Isaura! – gritou Willian.

Ele estava sujo. Fora atingido por muitos pedaços do vaso, mas não se machucara. A empregada chegou logo e assustou-se.

– Ajude-me a levar Aidê para dentro da casa! – pediu ele.

Subiram até o quarto. Isaura foi buscar água com açúcar. Aidê a tomou tremendo. As duas os acompanharam. Lia olhava tudo espantada. Mary tentou auxiliar Aidê, fazer com que ela se acalmasse. Aidê foi se tranqüilizando e aos poucos se sentindo melhor.

– Willian – finalmente Aidê conseguiu falar –, o vaso quase caiu em cima de mim! Se não fosse você, eu teria morrido! Aquele vaso era grande e com certeza era pesado!

– Como foi cair? Há anos estava lá – falou Isaura.

– Talvez tenha ficado mal colocado, foi escorregando e caiu – disse Aidê.

– Por favor, Isaura, faça um chá calmante para nós – pediu Willian.

Ficando a sós, Willian segurou com carinho as mãos da esposa e lhe falou:

– Querida, você se lembra do Reginaldo? Aquele meu primo que encontramos quando viemos para cá? Ele me disse que estaria de férias. Vou telefonar para ele e convidá-lo a vir para cá, ficar alguns dias conosco.

– Por quê, Willian? Ele trabalha na polícia. É investigador, não é? Por que esse convite? Por causa do vaso que caiu? Acha que ele não caiu sozinho?

– Não sei, querida. Estou confuso. Eu me sentirei mais calmo com ele aqui.

Isaura chegou. Os dois tomaram o chá e Willian pediu à Isaura:

– Vá com Aidê ao banheiro e a ajude a tomar banho. Nós nos sujamos muito com a terra do vaso. Depois, fique a seu lado. Vou à sala telefonar e já volto.

Ele desceu e foi para a sala. Mary e Lia o acompanharam. Willian pegou o telefone, discou e ficou satisfeito por conseguir seu objetivo. As duas escutaram:

– Reginaldo? Você está bem? Estamos precisando de você. Por favor, aproveite suas férias e venha até aqui ajudar-me a resolver um problema. Não sei se é grave. Acho que estão tentando matar minha esposa. Teve o acidente com o carro. Agora um vaso quase caiu em cima dela. Não dá para lhe passar mais detalhes. Você vem? Amanhã estará aqui? Espero ansioso! Tchau!

Willian desligou o telefone e falou baixinho:

– Vou ao terraço!

Lia puxou Mary e as duas subiram as escadas com ele. Entraram num dos três quartos que davam para a frente da casa. Ele acendeu a luz e abriu a porta-balcão. Os três aposentos eram parecidos: todos tinham o mesmo tipo de porta que dava para a sacada, que tinha por volta de três metros de largura e era cercada por uma mureta de cimento de um metro de altura. Em cima da mureta, três vasos grandes com folhagem. Willian examinou o local onde, até poucos minutos atrás, estivera o vaso que caiu. Observou tudo e não achou nada que merecesse atenção. Fechou a porta e foi para o seu quarto. As duas ficaram no corredor e o ouviram falar:

– Isaura, pode ir descansar. Quero que amanhã, logo cedo, você arrume o quarto de hóspedes. Meu primo Reginaldo virá nos visitar.

– O Reginaldo não é aquele que trabalha na polícia? – perguntou a empregada.

– É! Boa noite!

"O vaso não deve ter caído sozinho", falou Lia. "Estão ali há muito tempo. E o que caiu estava bem em cima de Aidê. Que faremos agora, minha amiga?"

"Vamos para o paiol", respondeu Mary.

Mary sabia que não tinha mais ninguém na casa. Quem tentara matar Aidê já tinha ido embora.

Isaura passou por elas preocupada e foi para seu aposento, um quarto grande que ficava ao lado da lavanderia. Mary empurrou Lia e elas passaram pela porta.

"Você não a abriu! Agora eu vi direito. Você passou por ela e me fez passar. Como consegue fazer isso?"

Mary balançou o ombro. Lia não insistiu por uma resposta. Estava muito confusa com o que vira. Chegaram ao paiol. Estava muito escuro e Lia reclamou:

"Não gosto de sair à noite. Não enxergo nada".

Mary ligou uma pequena lanterna que trazia no seu bolso. Na verdade, muitos objetos que desencarnados usam no plano espiritual têm um nome específico. Alguns são parecidos com os que os encarnados usam. Esse pequeno objeto que ilumina é visto somente por desencarnados ou por alguns encarnados sensitivos. A energia usada pode ser mentalizada por quem o segura, pode ser solar e até produzida por outras fontes.

"O que é isto? Uma lanterna? Como você tem uma?", perguntou Lia.

"Ganhei de um amigo. Ele me ensinou a usar. Guardo-a no bolso", respondeu Mary, sorrindo.

"É muito estranho mortos, desencarnados terem uma!", disse Lia, com ar de espanto.

"Você não está vestida?", indagou Mary.

"É mesmo! Como você a tem não me interessa. Para mim é ótimo! Não ficaremos no escuro."

"Dona Lia!", disse Zé Grilo, entrando apressado e tropeçando. "Que claridade é esta? O paspalho do Adelino deixou a luz acesa?"

"É uma lanterna que Mary tem. Sente-se aqui", convidou Lia.

Zé Grilo olhou curioso e sentou-se perto das duas. Esqueceram da briga. Ele falou devagar, não tirando os olhos do pequeno objeto que iluminava e estava na mão de Mary:

"Vim procurá-la à tarde, mas não a encontrei. Fiquei preocupado e curioso. Voltei agora porque sei que tem medo de andar por aí no escuro. O que aconteceu?"

"Muitas coisas", respondeu Lia. "Vou lhe contar. Ficamos sabendo de novidades que mudam os fatos. Primeiro..."

Lia contou toda a história com detalhes. Zé Grilo arregalou os olhos, ficando mais estranho ainda do que já era. Prestou muita atenção e, quando ela finalizou, exclamou:

"Puxa! Que ingrata e desavergonhada é essa Eva! Quem será seu assassino? Depois disso tudo que ouviram, a senhora sabe o que aconteceu?"

"Willian me matou", respondeu Lia. "Certamente prometeu casar-se com Eva e ela, ou eles, quer agora se livrar da Aidê, matá-la."

"Tem certeza?", perguntou Zé Grilo.

"Como posso ter certeza? Estou deduzindo. É o que parece estar acontecendo", respondeu ela.

"Lia, lembro você que vimos Eva indo para a cidade", falou Mary, entrando na conversa.

"Ela pode ter voltado. Será que não foi Isaura? Bem, pelo que me contaram, ela foi rapidamente ao local quando o sr. Willian a chamou", expressou-se Zé Grilo.

"Isaura? Por que ela faria isso?", indagou Lia.

"Estou pensando... Se o sr. Willian tinha muitas amantes, será que Isaura também não era ou é uma delas?", perguntou Zé Grilo, baixinho.

"Não creio", respondeu Lia. "Isaura tem a minha idade, não tinge os cabelos nem se cuida. Porém, não duvido de mais nada. Será?"

"Lembro a senhora, dona Lia, que eu já vi um vulto todo de preto entrar na casa pela porta de vidro da sala", falou Zé Grilo.

"Era encarnado ou desencarnado?", perguntou Mary.

"Não sei!", respondeu ele.

"Já lhe falei, Zé Grilo, que encarnado é quem vive no corpo de carne e desencarnado é quem vive sem o corpo, como nós. Oh, anão burro!", exclamou Lia.

"Eu já entendi isso! Mas não sei mesmo!", respondeu Zé Grilo, falando alto. "Vi o vulto e temi. Sabe que eu tenho medo dos espíritos maus, pois muitos deles gostam de se vestir de preto. Não sei se esse vulto era de carne e osso ou não. E não comece a me ofender, senão eu xingo você."

"Está bem. Peço desculpas", disse Lia.

"Estou lembrando de um fato!", exclamou Zé Grilo, contente e já esquecendo a ofensa. "A senhora recorda do dia em que recebeu a visita daqueles rapazes homossexuais?"

"Você é intrometido mesmo!", expressou-se Lia. "Isso aconteceu há algum tempo e você estava já desencarnado."

"Sei que faz tempo", falou Zé Grilo. "E não sou intrometido. Só que não tenho nada para fazer, por isso sempre gostei de observar os acontecimentos da região, das chácaras."

"Deveria ter visto quem me matou. Aí sim teria feito algo de útil", disse Lia.

"Sabe muito bem que não gosto de entrar nas casas. Tenho medo de ficar preso", respondeu Zé Grilo.

"Que grupo era esse? O que veio fazer aqui?", perguntou Mary.

"Jorge Luís é homossexual. Foi difícil para nós aceitar esse fato. Willian, mais preconceituoso ainda, o detestava e se envergonhava dele. Mas meu filho é dócil, educado e bondoso."

"Como uma mocinha", interrompeu Zé Grilo.

"Não me interrompa!", gritou Lia, continuando: "Agora acho que não fui uma boa mãe para Jorge Luís. Geraldino, quando encarnado, cuidava dele.

Depois que fiquei viúva, era Isaura. Quando me casei com Willian, ele queria toda a minha atenção. Eu o amava e deixei comodamente para Isaura cuidar de Jorge Luís. Willian tinha muito preconceito, brigava com ele, o ofendia, e eu nunca o defendi. Jorge Luís vendeu uma propriedade que herdou do pai, saiu de casa e foi para Londres. Foi um alívio para mim. As brigas em casa cessaram. Dava-nos poucas notícias. Nas cartas, queixava-se de solidão. Willian dizia que ele se acostumaria, que seria bom para ele morar longe de nós, que iria aprender muito etc. Foi depois de um tempo, que não me recordo quanto, que meu filho havia partido que recebemos a visita daqueles rapazes. Eram seis moços. Vieram num carro e em duas motocicletas. A maioria deles estava de jaqueta preta".

Lia fez uma pausa e suspirou. Mary e Zé Grilo estavam atentos. Ela continuou:

"Willian ficou nervoso ao vê-los. Disseram que eram amigos de Jorge Luís, que moravam na cidade vizinha, que sabiam que meu filho sofria longe deles e de nós e que deveríamos ser compreensivos e aceitá-lo como ele era, chamá-lo de volta e muitas outras coisas. Willian os tratou com muita indelicadeza e falta de educação. Eles nos xingaram e um deles, que estava todo vestido de preto e que viera numa das motos, virou-se para mim e disse: 'A senhora ainda irá se arrepender!' Meu marido os expulsou e eu chorei muito. Depois disso, nunca mais os vimos. Como ele disse, me arrependi agora que desencarnei. Devia ter ajudado meu filho, tê-lo chamado de volta, o protegido. Quando Zé Grilo disse que viu o vulto de preto, também lembrei desse fato, porém ele não sabe se essa pessoa era um encarnado ou não. Estive pensando se não seria um deles que entrou na casa, se não seria o homem que falou que eu iria me arrepender, se ao dizer isso ele não teria me ameaçado..."

"Pode ser que o moço disse isso pensando em lhe dar uma lição ou falou achando que o tempo a faria compreender e sentir remorso pelo que fez com o coitado do Jorge Luís. Você não foi boa mãe", falou Zé Grilo.

"Meu amigo de infortúnios, embora me chateie com o que você fala, dessa vez tem razão!", exclamou Lia.

"Não falo por mal. É que não sei me expressar direito. Como a senhora sabe, eu também senti falta de uma boa mãe para me defender", disse Zé Grilo, suspirando tristemente.

"O que você acha, Mary?", indagou Lia. "Será que um desses moços quis se vingar e me matou? Ou tentou matar eu e Willian? Colocaram o veneno na sopa quando ela estava na sala de jantar. Deviam saber que os empregados fazem as refeições na cozinha. Lembro do olhar daquele rapaz. Era de ódio e raiva."

"Não sei", respondeu Mary. "Talvez os rapazes tenham ficado ofendidos, com raiva na hora, e depois tenha passado. Não quero crer que isso seja motivo de vingança."

"Vi um vulto, não sei se era homem ou mulher, todo vestido de preto entrando pela porta de correr da sala. Ele não passou por ela. Ele a abriu", falou Zé Grilo. "Talvez eles quisessem assassinar vocês dois e, na tentativa, quando envenenaram a sopa, morreu só a senhora. Depois, teve o acidente com o carro do sr. Willian. Pode ter sido um defeito, mas pode não ter sido. Não podemos também descartar a possibilidade de ter sido o próprio Jorge Luís. Ele foi ofendido, maltratado e, se guardou rancor, pode ter querido se vingar. E pode estar querendo matar Willian, e não Aidê."

"Nunca meu filho iria me assassinar. Depois, ele está longe", falou Lia.

"A senhora tem certeza?", indagou Zé Grilo, que com um gesto de cabeça negativo de Lia continuou: "Jorge Luís pode muito bem estar com esses amigos e ter pedido para que eles os matassem ou até que contratassem alguém para fazê-lo".

"Você é um anão maldoso! Meu filho não faria isso!"

"Não está falando com muita convicção!", exclamou ele.

Mary preferiu mudar de assunto e pediu:

"Não briguem! Sejam amigos! É tão bom conversar sem discutir!"

Os dois suspiraram e aquietaram-se por alguns minutos. Ficaram de cabeça baixa. Estavam infelizes.

"É muito triste ter sido assassinada! Queria saber quem foi e por quê."

"A senhora não tem certeza de que foi o sr. Willian?", perguntou Zé Grilo.

"Não amole, seu grilo chato! Tenho e não tenho! Você me confundiu. Estou revoltada!", exclamou Lia.

"E desconta em mim?", indagou ele. "Também morri. Não fui assassinado. Lembra quando meu corpo físico morreu? Fiquei doente por vários dias. Fui levado para o hospital. Tive leptospirose, doença transmitida por animais. Sofri muito, morri e padeci mais ainda. Foi um castigo ter pegado essa doença!"

"Chega, Zé Grilo. Já escutei essa história muitas vezes!", falou Lia.

"Mas a Mary não!", exclamou ele.

"Fale, Zé Grilo. Quero escutar você", falou Mary.

"Fui adotado!"

"Ninguém sabe essa história direito!", interrompeu Lia. "Para muitos daqui, Esmeralda, a mãe dele, teve-o solteira e disse a todos que o adotara."

"Não sei se isso é verdade", falou Zé Grilo. "Sempre me disseram que fui adotado, largado na porta da casa de minha mãe Esmeralda. Ela me tratava bem, mas às vezes se embriagava e por qualquer motivo me surrava. Cresci revoltado por ser anão. É triste ter deficiência. Na escola, as crianças me batiam, zombavam de mim, e eu sofria muito. Aí descarregava meu ódio, minhas mágoas nos animais. Tinha prazer em maltratá-los. Minha mãe Esmeralda faleceu e eu fiquei sozinho. Acabei morrendo. A chácara em que morávamos fica ao lado desta. Ficou para um primo meu, sobrinho da mamãe, que logo depois da minha morte a vendeu. Os donos vêm de vez em quando e limpam a casa. Não entro nela. Não gosto de ficar trancado. Certa vez, fiquei quinze dias fechado porque eles foram embora e trancaram tudo. Fiquei lá sozinho. Foi horrível! Agora moro num buraco!"

"Zé Grilo", interrompeu Lia. "Mary é minha visita. Por favor, não a amole! Ela é uma senhora educada, que não está a fim de escutar histórias desagradáveis. Você foi cruel. Matava os animais aos poucos, gostava de furar seus olhos."

"Chega, dona Lia! Não fale de mim! A senhora foi traída e a mataram. Certamente tiveram motivos para isso!"

Lia levantou-se e ergueu a mão para lhe dar um tapa. Ele deu uma gargalhada e saiu correndo do paiol.

"Desculpe-me, Mary. Meu vizinho é terrível! Só converso com ele por me sentir muito sozinha", falou Lia.

"Minha amiga, me fale de você. Viu seu corpo morrer?", perguntou Mary.

"Não", respondeu Lia. "O que lembro daquela noite é que jantei, como sempre tomei a minha sopa de cogumelos, e fui me deitar. Senti dores fortes, não consegui gritar, senti frio, fiquei dura, e ouvi Willian ir se deitar. Ele acendeu a luz, percebeu que eu não estava bem e chamou os empregados. Não vi mais nada. Quando acordei, estava num hospital que ficava dentro de outro. Estranhei tudo. Não recebia visitas. Ouvia sem compreender... algo como minha filha chorando e falando que eu havia morrido. Acabaram me confirmando. Quis voltar para casa e eles devem ter me trazido. Fiquei aqui no paiol."

Mary deduziu que Lia teve morte súbita por envenenamento, sendo levada para o hospital e lá desligada, isto é, seu espírito foi separado do corpo físico morto e ela continuou vivendo. Isso foi realizado pela equipe desencarnada de servidores do bem que auxilia os médicos e enfermeiros encarnados. Ela ficou realmente num hospital dentro de outro, ou seja, num posto de socorro no espaço espiritual. Não foi levada para a chácara. Foi por impulso, pela sua forte vontade de querer ir. Volitou sem saber, sem entender o que ocorria. Isso acontece muito com desencarnados que não querem ficar em abrigos.

Lia continuou a falar:

"Ouvi uma conversa e soube que tomei a sopa com cogumelos venenosos. Eu não me enganei. Isso é impossível, pois eu mesma os havia colhido e não existia na minha plantação nenhum cogumelo venenoso. Deduzi que fui envenenada, assassinada."

"O que você acha desse primo do Willian?", perguntou Mary.

"Reginaldo deve ter a idade dele. Estudaram juntos. Ele nos visitava raramente. Não me é simpático. Por que será que Willian o chamou aqui? Será que ele não tem medo de que o primo descubra seu crime? Meu esposo deve ter certeza de que é mais esperto que o primo e deve ter planos. Mary, acho que ele está querendo se livrar de Eva e fazer tudo para incriminá-la. Só não entendo por que impediu que o vaso caísse na coitada da moça grávida. Pode ser que Willian e Eva tenham me matado e, agora que ele não a quer mais, ela o esteja chantageando, por isso ele chamou o Reginaldo, e o fará crer que foi Eva que me matou. Ela vai para a prisão e pronto. Estou cansada. Vou descansar. Hoje o dia foi muito movimentado!"

"Lia, você sabe para onde foi o Zé Grilo?", indagou Mary.

"Não se preocupe com ele", respondeu ela. "Sempre brigamos, nos ofendemos, mas não guardamos mágoa. Ele deve ter ido para o seu buraco. É uma pequena gruta. Fica na chácara onde ele morou quando estava encarnado. O lugar é feio, no meio das árvores. Ele fica lá, gosta do escuro. Fala que na escuridão não enxerga nada. Ele diz, não sei se é verdade, que na gruta, ou buraco como ele chama, ficam os animais que ele matou. Não sei se isso é possível. Mas tenho visto tantas coisas que não duvido de mais nada! Veja o que aconteceu comigo! Meu corpo morreu e eu continuo viva."

Lia passou as mãos nos pés e continuou:

"Meus pés estão doendo por andar descalço. Como gostaria de ter sapatos!"

"Veja, Lia, o que achei ali no canto: um par de sapatos!", falou a socorrista.

"Mary, meu bem", disse Lia. "Sei que você não é esperta, que é só uma velha, digo, uma senhora que tem boa vontade para ajudar... Aqui tem coisas que só encarnados podem pegar."

"Mas estes sapatos eu peguei. Veja! São como nossas roupas!"

Mary plasmou um par de sapatos confortável. Desencarnados que sabem podem plasmar, ou seja, fazer objetos que só os espíritos podem ver ou usar. Lia os pegou e os experimentou. Mary fez com que eles servissem nela.

"Mary, que beleza! Como foi isso? Não, não precisa explicar. Aconteceu e pronto! Que bom! Tenho sapatos! Se eu não estivesse com tantos problemas, ficaria alegre. Nem vou tirá-los para dormir. Não quero perdê-los! Quero que esta noite passe depressa. Estou curiosa para ver o que Willian fará amanhã. Aquele maldito! E também é maldita a escritora daqueles livros dos quais ele tirou idéias para me assassinar sem deixar pistas."

"Você leu esses livros?", perguntou Mary.

"Alguns. As histórias são fantásticas e sempre têm os investigadores que descobrem tudo. Talvez seja por isso que Willian chamou o primo."

"Se os investigadores descobrem tudo e se Willian é o assassino, ele não deveria trazê-lo para cá", disse Mary.

"Nas histórias dela, eles desvendam o mistério. Só que o Reginaldo não desvendará esse. Certamente ele culpará Eva. Agora chega de conversa. Boa noite!"

"Você não vai rezar?", perguntou Mary.

"Vou... Faz tempo que não oro. Fazia isso raramente quando estava encarnada. Estou com vontade de rezar. Você ora comigo?"

Fizeram a prece. Lia acomodou-se e dormiu. Mary levantou-se e foi à procura de Zé Grilo.

capítulo cinco

Zé Grilo

Mary não acendeu sua lanterna. Aprendera a enxergar no escuro. Para desencarnados que se esforçam em aprender, existem oportunidades de adquirir muitos conhecimentos. A visão perispiritual pode ser ampliada, tanto que muitos estudiosos, ao olharem um encarnado, vêem seus órgãos internos e detectam doenças. Muitos trabalhadores que prestam socorro no Umbral só usam essa luminária quando no grupo há integrantes que não desenvolveram a capacidade de enxergar no escuro. Mary sabia muito bem usar essa facilidade. Trabalhara como socorrista por muito tempo, servindo num posto de socorro do Umbral.

Ela caminhou devagar para o lado indicado por Lia, passou para a chácara vizinha e entrou no pomar onde deveria estar o tal buraco. Logo o achou. Os encarnados enxergavam ali somente o tronco de uma árvore antiga. Mary e todos os desencarnados viam que ao lado do tronco havia uma entrada para o interior da terra. Ela ia entrar quando ouviu um barulho do lado direito, alguns metros à frente. Chamou baixinho:

"Zé Grilo!"

Como ninguém respondeu, ela foi até o local de onde veio o barulho. Viu uma mulher desencarnada sentada num tronco de árvore de cabeça baixa, chorando.

"Precisa de alguma coisa? Por que está chorando?", perguntou Mary.

A mulher levou um susto, levantou-se e ia correr, mas Mary a segurou pelo braço e falou com carinho:

"Desculpe-me. Não quis assustá-la. Não precisa ter medo".

"Está sozinha?", perguntou a mulher, olhando para os lados e tentando ver se havia mais alguém. "Não preciso de nada. Não me faça mal, por favor. Sou do bando do Gordo Leitão. Só estou de passagem."

"Eu me chamo Mary! Também estou só passando por aqui. Estou sozinha e não faço mal a ninguém. Só queria ajudar, se possível."

"Anda por aí sozinha, à noite, só para ajudar?", indagou, observando-a bem. "Você é desencarnada! É uma socorrista? Trabalha para o bem?"

"Sim", respondeu Mary. "Estou indo visitar o Zé Grilo. Você o conhece?"

Ela sentou-se de novo e Mary acomodou-se ao seu lado. A mulher suspirou, enxugou as lágrimas e falou:

"Sou a mãe do Zé Grilo. Às vezes venho aqui para vê-lo, mas não tenho coragem de entrar no buraco em que ele mora. Lá dentro é horrível. Já pensei em levá-lo comigo, mas não o faço porque sou tratada como escrava pelo bando do Gordo Leitão. Eles iriam maltratá-lo por ser anão. Será que não tem ninguém nos vendo? Terei problemas se alguém do bando me vir falando com a senhora".

"Não há ninguém por perto. Só o Zé Grilo no seu buraco. Por que, Esmeralda, continua vivendo assim se é tão infeliz?", indagou Mary, carinhosamente.

"Como sabe meu nome?"

"O Zé Grilo me disse", respondeu Mary. "Esmeralda, você não me parece satisfeita com o seu modo de viver. Por que não se arrepende de seus erros, pede perdão a Deus e clama por ajuda?"

"Eu já me arrependi e sofri mais ainda. Acho que não mereço ajuda e não sei viver com pessoas boas e educadas", falou Esmeralda.

"Quem não sabe pode aprender com pessoas boas que gostam de ensinar. Morar com os bons é receber respeito. Com eles se vive com dignidade. Zé Grilo sabe que você está aqui?"

"Não. Eu o vi chegar rápido, e estava chorando. Nem olhou para os lados e entrou no buraco. Sinto muita pena dele. Visito-o raramente, pois me acusa de muitas coisas e acabamos brigando na maioria das vezes que nos encontramos."

"Vou entrar e conversar com ele", disse Mary. "Por favor, me espere aqui. Vou trazê-lo para que conversem e se entendam."

Mary entrou no buraco. [1]

Estava escuro e, para que Zé Grilo a visse, ela acendeu a lanterna. Ele esfregou as mãos nos olhos e exclamou:

"Mary, você aqui!"

"Vim visitá-lo. Posso me sentar?"

"Sentar-se?", indagou ele.

Ficaram em silêncio por instantes. Mary deu uma olhada. Esmeralda tinha razão de não querer

---

[1] O buraco pode ser feito de matéria do plano físico. Uma construção de matéria perispiritual é vista pelos desencarnados e por alguns encarnados que têm a mediunidade de vivência. Espíritos que sabem fazem locais assim. Podem ser feitos por desencarnados como Zé Grilo, que não tem conhecimento. Muitos fazem por uma vontade forte, podendo criar lugares, objetos, volitar. O ex-morador da chácara o fez para se castigar, por sentir-se culpado. (N.A.E.)

entrar e Lia de ter medo do local. Era um buraco debaixo do solo, com cerca de sete metros de diâmetro, cheio de animais mortos. Eram cadáveres: alguns sangrando, outros quebrados. Não havia um espaço vazio. Zé Grilo estava com uma raposa no colo que tinha os olhos perfurados. O cheiro era insuportável. Na verdade, não eram cadáveres materiais. Estes já haviam virado pó, voltado à natureza, como toda a vestimenta física morta. Eram corpos de animais plasmados por ele.

"Não tem lugar nem para eu sentar. Tive até que pegar esta raposa no colo", justificou ele.

Mary fez um sinal com a mão e os animais se amontoaram, abrindo espaço e deixando o chão livre. Ela sentou-se e perguntou-lhe, calmamente:

"Por que está aqui com estes animais?"

"É castigo! Meu terrível castigo! Se você limpou o ambiente para se sentar, não dá para tirar esta raposa de cima de mim? Com esta claridade, vejo-os, e ela me repugna."[2]

[2] Como já foi explicado, desencarnados podem plasmar objetos e lugares. Zé Grilo, ao ter consciência do que fizera, pensou nos animais que maltratara e matara. Esse pensamento tomou forma e ele plasmou os animais, mesmo sem saber. Isso, infelizmente, é comum no plano espiritual. A culpa faz com que o espírito veja, sem parar, seus erros, os objetos usados em assassinatos e os ferimentos do corpo perispiritual. Como Zé Grilo disse, é um castigo, mas ele mesmo o impôs. (N.A.E.)

"Tudo bem!"

Mary fez um gesto com a mão e a raposa juntou-se aos outros. Ele sentiu-se aliviado.

"Vê isto, Mary? São os animais que maltratei e matei. 'Não matarás' fala o mandamento, e eu matei. Não o fiz para comer nem por estar sendo prejudicado por eles. Eu o fiz por raiva, crueldade, torturando-os. É justo meu castigo!"

Ele suspirou tristemente e ficou quieto de cabeça baixa. Mary pensou:

"A crueldade deve ser um dos maiores erros que uma pessoa pode cometer contra outra. E como o carma da pessoa cruel se torna pesado, mesmo quando a maldade é feita a um animal!"

Ela entendeu que Zé Grilo não tinha conhecimento de que estava sendo cruel, e isso amenizou seu padecimento. O que fizera foi para descontar os maus-tratos que recebia. Como não podia maltratar quem o fazia sofrer, ele maltratava os animais. Mas, como isso não está certo, ele sofria havia vários anos numa prisão imposta por ele mesmo, porque um dia nossa consciência nos cobra.

"Por que você não pede perdão, meu amigo?", perguntou Mary.

"Como? Falando assim: 'me perdoa, senhora galinha!' 'Meu perdão, raposa!' Tenho chorado e os acariciado, e eles nem se mexem. Acha que animais podem perdoar? É para eles que devo pedir perdão?"

"Não, é para Deus! Você, Zé Grilo, deve perdoar a si mesmo", falou Mary, carinhosamente.

"Será que Deus me perdoará? Ele também criou os animais. O que fiz foi errado. Descontava minhas frustrações maltratando-os. Estava sempre com raiva. Em todos os lugares que ia me chamavam de anão, banquinho, corrimão de escada etc, riam de mim, e aí eu descontava no primeiro animal que conseguia pegar. Por que será que as pessoas criticam as outras?"

"Ninguém deveria fazer isso", disse Mary. "Não se deve criticar as deficiências. Se a pessoa tem o corpo sadio nessa encarnação, pode não ter tido no passado ou poderá não ter no futuro. É um erro fazer críticas assim. É uma maldade."

"Eu entendo um pouco disso, de ter deficiências no passado ou tê-las no futuro", disse ele. "Já estive num lugar que era chamado de Umbral. Lá diziam que já vivemos muitas vezes em corpos diferentes e que eu havia nascido anão por ter abusado de um corpo físico grande. Disseram-me que já fui alto, forte e maltratei pessoas. Se isso for verdade, não mudei muito. Nasci anão e, como não pude maltratar pessoas, eu o fiz com animais. Sou um caso perdido!"

"Não acho!", expressou-se Mary. "Deus nos perdoa sempre quando estamos realmente arrependidos. E você está, não é? Se pudesse voltar no tempo, você maltrataria os animais?"

"Não, de jeito nenhum!", exclamou Zé Grilo.

"Então, meu amigo, peça perdão. Quando queremos ser perdoados, nós somos, e temos oportunidades de reparar nossos erros e melhorar nossa vida."

"Quero isso, Mary! Se eu tiver oportunidade de nascer de novo em outro corpo, gostaria de ser veterinário e ajudar os animais, sendo eu deficiente ou não. Mas como faço para ser ajudado?"

"Peça auxílio, Zé Grilo! Mas me diga: você gosta de sua mãe?"

"A única que conheço é mamãe Esmeralda", falou ele, suspirando. "Gosto dela, só que, quando nos encontramos, brigamos muito. Ela nunca me defendeu nem me repreendeu. Talvez, se tivesse me orientado, me explicado na primeira vez em que maltratei um cão, eu teria aprendido e não estaria aqui com estes animais a me torturar."

"Não podemos colocar a culpa dos nossos erros em outras pessoas, meu amigo", explicou Mary. "Você está se autopunindo. Estes animais podem sumir caso você se sinta perdoado. Vamos tentar? Ore e peça perdão a Deus!"

Zé Grilo duvidou, porém resolveu tentar e orou:

"Pai do Céu, fui mau com os animais. Mereci ser castigado e fui. Perdoe-me, por favor! Prometo nunca mais maltratar ninguém. Vou amar os animais! Amém!"

Mary desfez a forte impressão que Zé Grilo tinha e sustentava daquelas figuras de animais mortos. [3]

Ele olhou encantado e passou a mão pelo chão: só havia terra; os animais haviam sumido. Gritou feliz:

"Deus perdoou-me! Perdoou-me!"

Virou-se então para Mary e perguntou:

"Quem é você? Uma bruxa?"

"Sou só uma pessoa que tenta fazer o bem para ser boa um dia", respondeu Mary. "Agora, venha. Tem uma pessoa aí fora querendo falar com você."

"É dona Lia! Eu a desculpo e vou lhe pedir perdão. Brigamos à toa", falou Zé Grilo.

---

[3] Pode-se plasmar num impulso, por uma vontade forte e por muitos outros motivos, mas desfazer é mais complicado. Dificilmente o indivíduo desfaz algo que ele plasmou por impulso. Se Zé Grilo não voltasse mais ao buraco, os animais plasmados ficariam ali por algum tempo e depois, por não serem mantidos pela mente dele, desapareceriam. Desencarnados que estudam e aprendem desfazem qualquer coisa plasmada. Esse conhecimento não é só dos bons. (N.A.E.)

Ele saiu rápido e rindo, deparando com Esmeralda. Então parou e ficou olhando-a, quieto. Mary saiu atrás dele e comentou:

"Vocês dois têm muito o que conversar. Vamos sentar no tronco. Zé Grilo, lembre-se da oração que fez em que pediu perdão e o obteve. Somos perdoados apenas quando perdoamos".

"A benção, mamãe!", exclamou ele.

"Deus o abençoe, meu filho!", respondeu Esmeralda. "Por que você está tão contente?"

"Aqueles animais sumiram porque eu pedi perdão a Deus", respondeu ele.

"Sei que fui culpada por você sofrer tanto assim", disse Esmeralda, suspirando triste.

"E eu nunca lhe perguntei se a senhora sofreu", falou Zé Grilo.

"Pois eu também padeci muito!", exclamou Esmeralda. "Sabe, meu filho, eu errei bastante. Você tem razão em me acusar. Sou sua mãe mesmo. Você não foi adotado."

"Não fui? Por que me escondeu isso? Soube pelos falatórios, mas a senhora sempre desmentiu. Riram tanto de mim por isso. Diziam que eu era tão feio e pequeno que minha mãe, ao me ter, me abandonara para não morrer de susto, que nem minha própria mãe me amara. Sentia tanto ao ouvir esses comentários. Por que fez isso comigo?"

Ele se levantou e ia se exaltar. Mary olhou para ele e em seguida para o buraco. Zé Grilo se acalmou e sentou-se novamente. Esmeralda falou baixo, com a voz triste:

"Eu era jovem quando meus pais morreram. Tinha dois irmãos mais velhos e casados que exigiam muito de mim. Eles queriam que eu fosse muito honesta, mas não me davam nenhum carinho ou atenção. Morava aqui na chácara com uma velha empregada. Apaixonei-me por um homem e só depois de algum tempo descobri que ele era casado. Ao ficar grávida, ele me abandonou. Foi um período difícil. Tentei abortar, mas não consegui. Escondi a gravidez. Só a empregada sabia. Você nasceu no tempo certo e o escondemos. Era bem pequenino. Depois de dois meses dissemos para todos que o encontramos na porta de casa. Algumas pessoas desconfiaram, houve falatório, mas não puderam afirmar nada com certeza. Nós o levamos a um médico e ele constatou que você era anão. Apiedamo-nos e tentamos cuidar bem de você. Quando essa senhora, que era para mim uma segunda mãe, faleceu, ficamos só nós dois. Não tive coragem de enfrentar a sociedade e meus irmãos e preferi mentir. Perdoe-me, meu filho! Tive medo e preferi dizer que você fora adotado".

"Deve ter sido difícil tudo isso para você, não é Esmeralda?", perguntou Mary.

"Foi, sim. Sofri bastante e, quando meu corpo físico morreu, padeci mais ainda", respondeu ela. "Quando encarnada, não tive religião, fui revoltada, viciei-me em bebida alcoólica e, pior, não eduquei bem José Ari. Quando desencarnei, fui para o Umbral e acabei fazendo parte de um bando. Agora vago por aí. Venho aqui quando a saudade aperta. Queria sofrer em seu lugar. Amo você, meu filho!"

"Não ama nada!", exclamou Zé Grilo, que, olhando para Mary que o observava tranqüilamente, resolveu mudar o tom de sua voz. "Está bem! Acredito que gosta de mim, pois eu a amo! Acho que nós dois fomos parecidos: descontamos nossas frustrações nas pessoas que amávamos ou que estavam próximas. Eu a perdôo e até a entendo. Naquela época o preconceito contra mãe solteira era bem maior."

Ficaram por instantes em silêncio. Mary pensou:

"Muitas vezes fazemos algo que não queremos por temer a opinião alheia. 'Um erro não conserta outro.' Esta frase é dita por todos nós e muito pouco praticada. Se Esmeralda tivesse tido coragem de assumir o filho, José Ari não teria, certamente, ganhado o apelido de Grilo, porque não seria chato como dissera Lia. Não teria sofrido com as críticas, escutando que a mãe o abandonara. Ela não sentiria tanto remorso nem se amarguraria tanto. Não teria se viciado em bebida alcoólica. Tudo teria sido mais fácil. O preconceito sempre traz conseqüências dolorosas. As pessoas ainda vêem o cisco no olho do próximo e não se dão conta da trave no seu. Vive-se em uma sociedade em que se tem normas, direitos e deveres e deve-se, em primeiro lugar, estar em paz com a consciência. As pessoas que costumam cobrar bons procedimentos dos outros normalmente são aquelas que nem auxílio oferecem. Porque aquelas que ajudam não tem tempo para criticar. Os pais deveriam educar seus filhos para não diferenciar crianças com deficiência. Deveriam ensiná-los a ser caridosos e corrigir suas tendências viciosas e maldosas. Talvez, se todos compreendessem a Lei da Reencarnação, não haveria distinções entre nós. E eu estou aqui, ao lado de duas pessoas que erraram, sofreram e não souberam lidar com o preconceito".

"E você também sofreu, meu filho, por ter sido anão. Deus é injusto por ter feito você assim", falou Esmeralda, suspirando profundamente.

"Zé Grilo, Esmeralda, meus amigos", disse Mary. "Deus não é injusto. Vocês viram que sobrevivemos à morte do corpo físico. A vida é única. Estagiamos no plano físico e voltamos à Espiritualidade. A vida continua! Já vivemos muitas vezes num corpo carnal, tivemos muitos nomes e aparências, fomos de muitos jeitos. Deficiências físicas são quase sempre reações a atos indevidos. Também podem ser provas escolhidas, para demonstrar a nós mesmos que, embora deficiente, podemos agir corretamente."

"Não é o meu caso!", expressou-se Zé Grilo. "Sinto que já fui mau. Tive algumas lembranças do meu passado, de outras existências, e vi os erros cometidos. É uma pena!"

"Remoer erros não serve para nada", falou Mary. "Temos de aproveitar as oportunidades do presente e ter esperanças no futuro. E o propósito de vocês agora deve ser aproveitar para se reconciliarem, pedir perdão, perdoar e rogar ajuda a Deus."

"É Deus mesmo que nos acode?", perguntou Esmeralda.

"É um filho Dele ajudando a outro", respondeu Mary.

"São as pessoas boazinhas que fazem isso, não é?", quis saber Esmeralda.

"São aqueles conscientes de que o mundo só melhorará se as pessoas forem úteis, se deixarem de ser servidas para servir", explicou a socorrista.

"Será que os bons nos aceitarão? Achamos que eles são chatos e que castigam", falou Esmeralda.

"Não, minha amiga", falou Mary, "os que você chama de bons não são chatos nem castigam. Disseram isso a você para que não pedisse ajuda, para que ficasse longe deles e continuasse sendo escrava, servindo-os. Você já viu um socorrista? Prestou atenção nele?"

"Você é uma socorrista?", perguntou Zé Grilo. "Sinto que é diferente. Tem o olhar tranqüilo e parece feliz."

"Sou uma trabalhadora que aspira fazer o bem. Sou feliz! As pessoas que querem ser boas não castigam, e sim auxiliam. E é isso que estou tentando fazer com vocês. Existe outra forma de viver desencarnado. Há locais bonitos e limpos. Só que, para serem assim, tem de haver ordem e disciplina. Os que necessitam recebem ajuda e, quando estão bem, aprendem a ser úteis."

"Mary, você acha que eles darão um jeito na minha aparência? Poderei crescer?", perguntou Zé Grilo.

"Tenho certeza de que sim. Você também receberá auxílio nesse sentido", respondeu a socorrista.

"Quero ir para um lugar desses, Mary!", exclamou Zé Grilo. "Estou cansado de sofrer. Quero aprender a ser bom, a fazer o bem. Mamãe, por favor, peça para ir também, para ficarmos juntos."

"Tenho medo! Receio que não me aceitem, afinal agi de maneira muito errada", disse Esmeralda.

"Para onde irá, as pessoas compreendem e ajudam. Elas seguem o exemplo de Jesus, nosso Mestre Amado, que muito nos ama", falou Mary.

"Jesus perdoou Madalena. Ele não deixou que apedrejassem a mulher adúltera. Vou pedir perdão! Vamos ajoelhar, meu filho", disse Esmeralda.

Mary ia dizer que não precisava ajoelhar, mas os dois o fizeram e pediram perdão, rogando que fossem levados para um lugar bom. A socorrista também orou e mentalizou o posto de socorro que havia visitado. Minutos depois, dois jovens trabalhadores chegaram, deram as mãos para Esmeralda e Zé Grilo e os ergueram do chão.

"Vamos, amigos! Vocês irão conosco para um abrigo!"

"Até logo, Mary, e obrigado!", exclamou Zé Grilo.

"Deus lhe pague, doce senhora!", expressou-se Esmeralda.

Os socorristas volitaram com eles. Mary olhou para o local onde antes havia o buraco. Ele tinha sumido. Ela voltou para o paiol devagarzinho.

capítulo seis

História de Isaura

Mary entrou no paiol e viu Lia dormindo. Seu sono era agitado. Aproximou-se e orou, impondo as mãos sobre sua cabeça e acalmando-a.

A socorrista recordou que, numa aula do curso que desencarnados fazem para aprender a servir, o orientador explicou por que as pessoas sem o envoltório físico também dormem. Quando o corpo carnal morre, temos de aprender a viver no plano espiritual com o perispírito, que é a cópia do corpo físico. E, enquanto não aprendemos, temos os reflexos do corpo material, que podem ser mais fortes em alguns e mais fracos em outros, dependendo do apego à matéria. Como dormimos quando estamos encarnados, no momento em que desencarnamos continuamos sentindo o reflexo do corpo e dormimos também. Para alguns, o sono é reparador. Para outros, o sono é perturbado por pesadelos. Conforme os desencarnados vão entendendo e adaptando-se, eles vão se livrando desses condicionamentos e, não os tendo mais, param de dormir. Ficar acordado para os bons é ter mais tempo disponível para trabalhar, auxiliar, aprender e progredir, e para os maus, para agir imprudentemente. Espíritos que cometem erros acabam sentindo um vazio que dói. Eles sentem as horas passar devagar e pensam no sono como uma bênção que não merecem. Normalmente têm medo de dormir e serem atacados. Não podem confiar em ninguém. Tudo isso é um sofrimento que a maioria deles não admite. Desencarnados como Lia, que vive como se fosse encarnada, embora saiba que seu corpo físico morreu, dormem como se estivessem no corpo carnal.

Mary saiu do galpão. Ficou na varanda da casa. Olhou para o firmamento e se pôs a admirar as estrelas.

"Como é linda a obra do nosso Criador!", balbuciou.

Depois, começou a pensar na história das pessoas envolvidas com aquela casa e orou.

"Meu Deus, me ilumine, me esclareça para que eu possa ajudar do melhor modo possível!"

Lágrimas escorreram pela sua face. Receou novamente não conseguir auxiliar.

"Mary!"

"Carlos Augusto! Que bom vê-lo!", exclamou Mary, sorrindo.

Ela refugiou-se nos braços do orientador e ele carinhosamente afagou seus cabelos.

"Vim conversar um pouco com você", disse ele, gentilmente.

Mary contou tudo o que acontecera e do receio que estava sentindo.

"Acho que não irei conseguir ajudar Lia", disse Mary.

"Mas você já a está ajudando. São amigas, você a tem escutado. É tão bom quando temos alguém para nos ouvir", disse Carlos Augusto.

"Como gostaria de levá-la para uma colônia!"

"Lia, como já lhe expliquei, não ficará bem em nenhum lugar se não resolver o que a aflige."

"Você sabe o que aconteceu aqui?", perguntou Mary.

"Sei", respondeu o orientador.

"Não é melhor me falar e eu dizer a Lia?", indagou Mary.

"Temos encarnados envolvidos no caso que também necessitam de auxílio. Fique e faça o que lhe for possível para ser útil."

"Ajudar encarnados me parece tão difícil", expressou-se Mary.

"Confiamos esse socorro a você. Não desanime e esclareça esse caso para você mesma."

"Nunca pensei que alguém pudesse tirar dos meus escritos idéias para um assassinato", suspirou Mary, aborrecida. "Nunca iria imaginar quando encarnada que, ao ter meu corpo físico morto, me envolveria numa história de crimes e seria uma detetive. É... Você, meu amigo, tem razão: não posso voltar para a colônia, para os meus estudos, e deixar Lia achando que sou culpada. Seus maldizeres me incomodam."

"Até logo, Mary! Que Deus a abençoe!"

Carlos Augusto se despediu, abraçando-a com carinho. Mary sentiu-se melhor. O carinho de uma amizade sincera nos faz muito bem. Ela ficou ali na varanda, meditando, orando e pensando em tudo que vira e ouvira. O dia clareou e ela foi acordar Lia:

"Acorde! O dia está lindo!"

Lia levantou-se, passou a mão pelos cabelos e pela roupa se arrumando, olhou para os pés calçados e disse:

"Que bom estar de sapatos! Onde está o Zé Grilo? Ele ainda não veio?"

"Não. Acho que nosso amigo está dormindo tranqüilamente", respondeu Mary.

"Vamos entrar na casa e ver Isaura fazer o café. Sinto-me bem quando faço isso."

Mary foi com ela. Compreendeu que Lia sentia-se bem porque sugava as energias de Isaura quando ela se alimentava. Era como se Lia se alimentasse também. Tendo reflexos do físico, ela sentia fome. Enquanto a encarnada alimentava-se, ela sugava seus fluidos e, tendo a impressão de que comia, sentia-se saciada.

Entraram na cozinha e lá estavam Isaura e Eva conversando. Lia sentou-se numa cadeira e Mary ficou perto delas. Escutaram as duas empregadas:

– É isso mesmo, Eva. Foi assim que aconteceu. O sr. Willian e a dona Aidê estavam na varanda. Um vaso que ficava na mureta caiu e por pouco não espatifou em cima dela. O sr. Willian chamou o primo dele que é investigador da polícia para vir até aqui. Ele acha que alguém está querendo matar sua esposa. Primeiro o acidente com o carro e ontem à noite com o vaso.

– Não estou gostando dessa história! – expressou-se Eva.

– Você não está mentindo? Será que você não voltou para cá ontem à noite? – perguntou Isaura.

– Por que eu faria isso? Por que eu voltaria? Está duvidando de mim? Acha que sou capaz de assassinar alguém? – indagou Eva, exaltada.

– Você tem motivos para tentar matar a dona Aidê. Era amante do sr. Willian e queria se casar com ele – respondeu Isaura.

– Queria! Pensava! E daí? Eu me iludi! Willian nunca me disse que ia se casar comigo. Eu é que sonhei! Quando ele voltou da viagem casado, fiquei decepcionada. Mas foi só. Não vou ficar chorando por isso a vida toda. Sou nova, bonita e já arrumei outro namorado. Se estou preocupada com esse investigador, é porque sempre sobra para os pobres, para os empregados.

– Eva, naquela noite em que dona Lia faleceu, eu tomei um pouco de sopa. Não aconteceu nada comigo. Se tivesse cogumelos envenenados, eu também teria morrido.

– Isaura, por favor, não fale isso! Você me prometeu! – exclamou Eva.

– Por que teme que eu conte? Foi você, Eva, quem colocou o veneno na sopeira que estava na sala? – perguntou Isaura, em tom baixo.

– Não! Não fui eu! Mas, se souberem da sua história, serei acusada! Isaura, se você falar que tomou a sopa, direi a todos o seu segredo. Sim, eles saberão que você não é essa santinha que parecer ser. Falarei a Gina, escreverei ao Jorge Luís... Contarei que você amou e foi amante de Geraldino, o primeiro esposo de dona Lia!

Lia engasgou. Ela prestava atenção na conversa das duas e, ao ouvir a revelação, ficou transtornada. Mary ajudou-a, segurando sua mão com força. Ela melhorou rapidamente e continuaram escutando.

– Sabe bem que amei Geraldino e que ainda o amo! – exclamou Isaura.

– Foi e ainda é a legítima esposa dele! A sua viúva! – expressou-se Eva.

– Conheci Geraldino quando vim trabalhar nesta casa. Era jovem, bonita e o amei assim que o vi. Ele me disse que seu casamento fora um erro e que só não se separava de dona Lia pelo menino, o Jorge Luís. Logo depois nasceu o Edson. Nós nos amávamos muito e tínhamos planos de ficar juntos assim que os meninos crescessem. Só que ele morreu!

– E você ficou aqui cuidando dos garotos como se eles fossem seus filhos – disse Eva.

– Eram filhos dele, e eu prometi a Geraldino que cuidaria dos meninos. Não sei por que contei isso a você. Segredo não se conta!

– Contou porque isso a incomodava. Fomos amantes dos maridos de dona Lia. E ninguém precisa ficar sabendo disso. Para isso, basta você não dizer que experimentou a sopa. Isaura, você provou só um pouquinho. Dona Lia tomou a sopa toda.

Tinha cogumelos venenosos. Fez mal a ela porque foi em grande quantidade.

Isaura enxugou as lágrimas e falou:

– Está bem! Não falarei e você também ficará quieta!

Lia saiu correndo. Foi para o paiol. Mary foi atrás dela.

"Mary, como sou infeliz! Que traição! Nunca pensei que Geraldino me traísse. E com Isaura! Uma empregada que era tratada como se fosse da família! Meus filhos a amam. Quero morrer! Morrer mesmo! Ai, meu Deus!"

Mary a abraçou e ela foi se acalmando.

"Será que foi Eva quem me matou?", perguntou Lia, ainda chorando.

"Não sei! Ela me pareceu muito suspeita!", respondeu a socorrista.

"Ainda acho que não!", exclamou Lia. "Eva não é inteligente o suficiente para ter planejado o crime. Certamente nunca leu um livro!"

"Muitos criminosos não lêem livros. Alguns são até analfabetos!", expressou-se Mary.

"Não nesse caso!", falou Lia. "O meu assassinato foi planejado por Willian, que leu aqueles livros e elaborou com inteligência um crime perfeito. Mary, acabei por descobrir fatos que nem queria saber, que meus maridos me traíram com minhas empregadas, pelas quais tinha muita consideração. Isaura foi minha melhor amiga, talvez a única. As outras que denominava amigas eram minhas conhecidas. Estou começando a achar que Willian também matou Edson. Não deve ter sido acidente! Ele afastou meu filho mais velho, Jorge Luís, de casa, dando a desculpa de que ele nos envergonhava. Deve ter assassinado meu caçula e depois a mim, recebeu mais herança e agora quer dar um fim em Aidê."

"Será que ele fez tudo sozinho ou Eva foi sua cúmplice?", perguntou Mary.

"Tudo leva a crer que Eva o ajudou. Ele casou-se com outra mulher rica e, se ficar viúvo, herdará a fortuna dela. Assim poderá casar-se com Eva", disse Lia.

"Eva deve ser a assassina", opinou Mary.

"Sabe o que estou pensando?", indagou Lia, continuando a falar sem esperar resposta: "Estou com saudade dos meus filhos. Faz tempo que não vejo Jorge Luís, e desde que Edson morreu não o vi mais. Acho que meu menino foi para um lugar bom".

"Lia, conte-me como foi que ele desencarnou", pediu Mary.

"Quando fiquei viúva com os dois filhos pequenos, Isaura me ajudou muito. Agora sei o porquê: cuidou dos filhos de Geraldino como se fosse a viúva dele. Eu já conhecia Willian, que logo depois do falecimento do meu esposo me cortejou. Namoramos e nos casamos. Tivemos Giovana, a fofinha da Gina. Ainda bem que ela se casou e não mora mais aqui! Jorge Luís é muito inteligente. Desde garoto tinha um modo estranho de agir. Willian queria que ele fosse mais masculino e os dois brigavam muito. Após muitas desavenças, ele resolveu ir embora: estudar e trabalhar no exterior. Foi para a Inglaterra e não voltou mais. Edson era levado. Willian também implicava com ele. Edson faltava às aulas, não gostava de estudar e era briguento. Um dia, ele saiu para passear a cavalo, como fazia sempre, porém demorou para voltar. Adelino foi atrás dele e o achou caído na pedreira. Ele estava morto. Foi muito triste!"

"Pedreira? Onde é esse lugar?", perguntou Mary.

"Do outro lado da estrada. Fica aqui perto. É uma pedreira desativada. Lá tem um buraco profundo. Depois do acidente, cercaram-na. Não sei por que Edson foi lá e como caiu."

Lia voltou a chorar e Mary a consolou. Quando ela se acalmou, a socorrista a convidou:

"Vamos voltar para dentro da casa e continuar escutando as conversas?"

"Não, vá você. Depois você me conta, se escutar algo interessante. Estou muito triste!"

"Você ainda está com muita raiva de Isaura?", perguntou Mary.

"Como falei, estou triste, infeliz. Mas a raiva está passando", respondeu Lia.

"Admiro você, minha amiga. É incapaz de guardar mágoas."

"Nunca odiei ninguém nem quero ter esse sentimento, principalmente agora depois de morta."

"Às vezes uma pessoa nos faz muitos favores e, por uma ofensa, não a queremos mais como amiga. Temos facilidade de ver mais os defeitos do que as qualidades", expressou-se Mary.

"Suas palavras são sábias", disse Lia devagar. "Desejo continuar querendo bem Isaura. Ela errou ao me trair, ao se envolver com um homem casado. Mas, ela foi muito boa para mim. Ela foi uma mãe, talvez mais do que eu, para os meus filhos. É essa lembrança que quero guardar dela. Quero ter sempre na memória os favores que ela me fez! Também não sinto raiva de Eva por ter me traído. Embora tenha sido ingrata! Quando órfã, ela não tinha nem para onde ir. Nós a acolhemos e aqui nada lhe faltou. Foi bem tratada. Acho que não resistiu aos encantos de Willian. Vou entristecer-me mais ainda se descobrir que foi ela quem me assassinou ou que foi cúmplice de Willian. Vá, Mary. Tente descobrir mais alguma coisa. Vou chorar sozinha. Talvez consiga dormir."

Mary a abraçou e sentiu que valia a pena estar ali e ajudá-la. Lia demonstrara ser uma boa pessoa.

A socorrista entrou na casa e foi procurar Isaura, que estava no quarto chorando e olhava com carinho fotos antigas. Passava a mão carinhosamente numa fotografia em que estavam retratados dois garotos e um moço, que Mary deduziu ser Geraldino, Jorge Luís e Edson.

"Que faço?", pensava Isaura. "Falo que tomei a sopa na cozinha naquela noite ou não? Se falar, Eva contará a todos meu segredo. Gosto dessa menina. Lembro quando Eva veio para cá. Era frágil e muito sofrida. É doloroso admitir, mas a assassina é Eva! Matou dona Lia e agora quer assassinar dona Aidê! Ela está com medo. E, se está me chantageando, tem culpa. É culpada! Cometeu o crime para que o sr. Willian ficasse viúvo. Como ele casou-se com outra, quer matar essa coitada para que ele fique de novo viúvo. Aí, certamente Eva irá chantageá-lo para que se case com ela. Dona Lia já morreu, mas dona Aidê ainda não. Se eu me calar e dona Aidê morrer, vou ser cúmplice e ficarei com remorso. Que devo fazer?"

"Fale Isaura!", expressou-se Mary, olhando-a.

Isaura não a ouviu nem sentiu seu apelo e continuou pensando:

"O que Jorge Luís irá pensar de mim se souber que fui amante de seu pai? Amo-o como se ele fosse meu filho. Meu menino já sofreu muito. O sr. Willian ofendia-o por ele ser homossexual, e tanto brigaram que ele saiu de casa. Dona Lia amava o filho, mas ficava sempre a favor do esposo. Agora Jorge Luís está bem melhor: tem um bom emprego, mora num lugar bonito e não quis nada disto aqui, tanto que deixou sua parte da herança de sua mãe para a irmã Gina".

"Fale, pense um pouco sobre você!", disse Mary.

Isaura já estava pensando. Assim, bastou a socorrista induzi-la para que ela se recordasse. Isaura não escutou o que ela disse. Só sentiu vontade de pensar. Mary acompanhou seus pensamentos:

"Sou filha de lavradores. Meus pais eram pobres. Trabalhavam num sítio vizinho daqui. Geraldino era rico, tinha estabilidade financeira. Ele casou-se com dona Lia e vieram morar na chácara. Eu vim ser empregada deles. Tinha dezesseis anos e só tinha tido um namoradinho. Sempre fui bem tratada. Dona Lia sempre foi boa comigo. Nasceram os meninos e os amei, como também amei Geraldino. Creio que ele também me amou. Confiava mais em mim para cuidar dos filhos do que na esposa. Pedia para que eu o esperasse até os meninos crescerem. Iríamos ficar juntos, casar. Lembro com detalhes de quando ele ficou doente. Foi ao médico, que lhe pediu para fazer alguns exames em um hospital mais bem aparelhado. Quando ele obteve o resultado, veio aqui no meu quarto, sentou-se nesta cama e muito triste falou: 'Isaura, estou com uma doença séria no coração. Vou me internar. Se eu morrer, cuide dos meninos por mim, por favor!' Eu prometi e ele não voltou. Dona Lia ficou viúva por pouco tempo. Eva tem razão: sou eu a viúva de Geraldino. Nunca mais interessei-me por outra pessoa. Sempre o amei e cumpri o prometido: cuidei dos filhos dele. Pena que Edson morreu!"

"Fale de Edson!", pediu Mary.

"Edson", Isaura continuou pensando, "era revoltado. Não aceitou o novo casamento da mãe e estava sempre nervoso. Eu não conseguia acalmá-lo. Vivia constantemente agitado. Sofri muito quando aconteceu o acidente e ele faleceu".

– Vou fazer o almoço! – exclamou Isaura baixinho, saindo do quarto.

Mary viu espalhadas pela cama muitas cartas de Jorge Luís. Ele escrevia muito para Isaura e lhe mandava dinheiro, que ela colocava numa caderneta de poupança.

O moço contava para a sua ex-babá, que amava como mãe, seus anseios e tudo de importante que acontecia com ele. Tornou-se espiritualista, conforme escrevera, estudava a Bíblia e amava ler os Evangelhos. Participava de um grupo de estudos que acreditava na reencarnação. Tentou explicar para Isaura numa longa missiva essa lei que nos faz compreender a Justiça de Deus. Não tinha parceiros nem os queria. Desejava ser útil e fazer o bem. Trabalhava como voluntário em um hospital infantil, onde três vezes por semana vestia-se de palhaço e alegrava crianças doentes. Mandava fotos em que aparecia vestido dessa maneira sempre ao lado de crianças com aspecto doentio, mas que sorriam alegres. Jorge Luís contava que preenchia sua vida dessa forma. Dera à sua existência um significado, direcionara seu afeto a quem dele precisava e não sentia carência afetiva.

Mary compreendeu que Isaura orgulhava-se daquele jovem e tinha medo de decepcioná-lo, caso ele soubesse a verdade sobre ela e o pai dele. Entendeu que ela sofria e estava indecisa sobre o que fazer. Achou que ela ficaria calada.

capítulo sete

Sabendo de Fatos

Mary voltou para o galpão e encontrou Lia sentada num canto, triste. Ao vê-la, Lia disse:

"Amiga, foi Willian quem me matou! E acho que o acidente em que Edson morreu não está bem explicado. Ele não gostava do Jorge Luís e, quando este foi embora, passou sua implicância para o Edson, que era um garoto. Eu achava, naquela época, que meu marido queria educá-lo. De fato meu filho não estava bem. Era um adolescente rebelde, não queria estudar e saía com más companhias. Mas, foi um acidente estranho! A polícia achou o cavalo pastando por perto. Dizem que investigaram, mas eu nunca fiquei sabendo o que aconteceu. Willian cuidou de tudo. Achei que era uma demonstração de carinho de sua parte.

Agora que sei que foi ele quem me assassinou, desconfio também que matou Edson. Vou gritar para ele saber que descobri!"

Lia saiu correndo em direção à casa e Mary correu atrás dela. Entraram na sala e encontraram Willian lendo um jornal.

"Assassino! Você é um criminoso cruel!", gritou Lia, com raiva.

Willian parou de ler, deixou o jornal cair, recebeu fluidos negativos, passou a mão pela testa e falou baixinho:

– Assassinato! Não deve ter ocorrido nada disso nesta casa! Estou com medo à toa! Lia morreu por imprudência dela mesma, por sua mania de tomar sopa de cogumelos. Foi um acidente! Gostava dela e senti sua morte. Amo Aidê como nunca amei alguém. Devo estar estressado e imaginando coisas. Ninguém quer matá-la!

"Você foi amante de Eva! Traiu-me sem pudor. Você não presta!", gritou Lia, olhando-o fixamente.

– Eva! – falou Willian baixinho. – Será? Eu sempre disse a ela que não a amava, que era só uma aventura. Quando Lia morreu, tive remorso por tê-la traído, e justamente com a empregada que ela acolheu quando ficou órfã, por isso acabei com o relacionamento. Falei até que nunca me casaria com ela. Meu Deus! Será que Eva está tentando matar Aidê? Tomara que Reginaldo não demore a chegar!

"Você me queria bem? Teve remorso?", indagou Lia, já mais calma.

Willian sentiu-se incomodado e desabotoou os primeiros botões da camisa, aliviando o pescoço. Ficou quieto. Lia percebeu que ele estava pensando e indagou à Mary:

"Você consegue saber o que ele pensa?"

"Sim", respondeu a socorrista. "Vou dizer a você: seu ex-esposo está pensando que a queria bem e a seus filhos também."

Lia torceu as mãos, dizendo para Mary:

"Posso até perdoá-lo por ter me matado, mas, se ele assassinou Edson, não sei o que faço."

Ela virou-se para Willian, aproximou-se e gritou:

"Assassino! Você matou Edson!"

– Não e não! Edson suicidou-se! Ele mesmo se matou! – resmungou Willian, sentindo um mal-estar.

"Como é? Do que você está falando? Pense nisso! Quero saber!", falou Lia, autoritária.

Willian pensou. Mary ouviu seus pensamentos e disse para Lia:

"Edson tinha doze anos quando Willian ficou sabendo que o menino estava usando drogas.

Não contou a você para não magoá-la nem preocupá-la, porque você estava sofrendo com a partida de Jorge Luís. Era ele que resolvia os problemas do garoto na escola e até com a polícia. Edson roubou uma quantia grande de dinheiro. E, quando o encontraram morto, foi achado junto dele um papelote de cocaína. A autópsia revelou que ele tomara uma overdose. Ninguém ficou sabendo se ele caiu por acidente ou se suicidou. Willian acredita que Edson se matou!"

"É isso mesmo que ele pensou? Meu Deus!", exclamou Lia, apertando a mão de Mary. "Agora estou confusa! Será verdade?"

"Lia", disse a socorrista, "vá para o paiol. Irei em seguida".

A ex-dona da casa saiu devagar, com a cabeça baixa. Mary deu um passe em Willian, tirando a energia de raiva, nociva que Lia jogara nele. Ele melhorou, pegou o jornal e tentou ler. Estava cansado, preocupado e ansioso para que o primo chegasse logo.

"Willian", disse Mary mentalmente, "pense sobre você. Como foi a sua vida?"

Mary pediu, e ele podia ou não atendê-la. Temos o nosso livre-arbítrio. Nesse caso, como Willian estava apreensivo, com vontade de falar, ele pensou, e foi como se desabafasse com alguém.

Atendeu ao pedido de Mary, embora não soubesse dessa possibilidade nem acreditasse ser isso possível. [1]

Os fatos acontecem independentemente de se acreditar ou não. Sentimos energia de raiva, ódio, bem como de amor e carinho. A socorrista transmitiu calma a ele, que suspirou aliviado e se pôs a pensar:

"Sou de família pobre. Sempre quisera ser rico. Era ambicioso. Aproveitei que era bonito e esforcei-me para ser agradável. Estudei com vontade, fui bom aluno. Terminei a oitava série e não consegui continuar os meus estudos. Fui trabalhar em um escritório de advocacia, e foi lá que conheci Lia. Ela ia lá às vezes com Geraldino e, quando ficou viúva, passou a ir com mais freqüência, para fazer o inventário. Uma tarde, vim até aqui na chácara trazer alguns documentos e ficamos conversando. Comecei a arranjar desculpas para vir visitá-la. Meu pai me dizia: 'Se você quer ser rico, case-se com essa viúva'. Fiz tudo para conquistá-la. Lia resistiu, mas acabou se apaixonando

[1] Querendo saber mais sobre esse assunto, o leitor deve consultar *O Livro dos Espíritos*. Allan Kardec. Capítulo 9 – Intervenção dos Espíritos no Mundo Corporal – Influência Oculta dos Espíritos sobre Nossos Pensamentos e Nossas Ações. Petit Editora: São Paulo/SP. (N.A.E.)

por mim e nos casamos. Tentei ajudá-la na administração dos bens e com os filhos. Nasceu Giovana, minha filha, que só me deu alegrias. Quis educá-los igualmente. Não queria que Jorge Luís fosse homossexual, e foi um alívio quando ele foi embora. Edson só me deu preocupações. Tive esperança de recuperá-lo, e então aconteceu a tragédia. Escondi a verdade de Lia. Deixei que ela pensasse que fora acidente. Evitei que minha esposa sofresse. Agora estou preocupado com Gina. Ela não gostou de me ver casado com Aidê. Será que foi ela quem tentou matá-la?"

Willian suspirou, balançou a cabeça e balbuciou:

– Não! Gina, não!

– O que foi, sr. Willian? Que falou? Não escutei – disse Isaura, que entrara na sala.

– Nada, Isaura – respondeu ele –, estava pensando que Gina não gostou de me ver casado com Aidê.

– O senhor não esperou nem um ano para se casar! Magoou a menina, que é muito delicada e sensível. Mas, bondosa como é, ela logo esquecerá a mágoa e será amiga de dona Aidê – disse a empregada.

– Você acha mesmo, Isaura? Queria muito isso. Amo minha filha.

– Com o esposo dedicado que ela tem, que lhe faz todas as vontades, não ficará triste por muito tempo.

– É verdade. Agenor faz tudo para agradá-la. Espero que continue assim – expressou-se Willian.

– O senhor desconfiou dele no começo do namoro, mas dona Lia gostava do Agenor – falou Isaura.

– É que ele era muito farrista e mulherengo quando solteiro. Pensei que iria nos pedir muito dinheiro. Mas Agenor arrumou um bom emprego, ganha bem e nunca nos pede nada. Minha implicância com ele deve ser ciúme de pai. Continuo não gostando dele, só que lhe sou grato por fazer Gina feliz.

– Vim saber se o senhor quer algo diferente para o almoço. Será que dona Aidê quer fazer o cardápio? – perguntou Isaura.

– Cuide você disso. Aidê está indisposta, enjoada e não quer nem ouvir falar em comida – disse Willian.

Isaura foi para a cozinha, Willian passou a ler o jornal e Mary foi ver Aidê, que estava no seu aposento, deitada. A futura mamãe sentia os enjôos provocados pela gravidez.

Aidê estava triste e pensativa. Mary acompanhou seus pensamentos:

"Não sei se agi certo casando com Willian. Estou com receio das coisas que têm acontecido. Primeiro foi o carro. Se eu tivesse ido viajar, talvez tivesse morrido. Eu tinha de levar alguns documentos numa cidade próxima e, como estava indisposta, Willian pediu para Adelino levá-los para mim. Disseram que o freio estava danificado. O empregado habilidoso e bom motorista, ao descer a serra, quando percebeu que estava sem freio, virou o carro, entrou numa estrada secundária e depois em um campo. Será que eu faria isso? Certamente eu me apavoraria e tentaria continuar descendo. O acidente poderia ser fatal. Depois o vaso! Como caiu? Quero voltar a morar na minha cidade, no meu apartamento. Vou pedir isso ao meu esposo. Lá tenho segurança e amigos. Parece que atraio acontecimentos estranhos. Tantas coisas já aconteceram comigo... Fiquei órfã adolescente. Recebi de herança um bom patrimônio e com o meu trabalho dedicado o multipliquei. Tenho a escola, de que gosto muito, e começo a sentir falta dela. Hoje estou com saudade de Dirceu, o homem que amei".

Aidê suspirou e uma imagem veio à sua mente. Era a de um moço muito bonito, que sorria amorosamente. Ela continuou a pensar:

"Namoramos quatro anos, ficamos noivos e, quando íamos nos casar, ele faleceu naquele acidente de carro. Sofri muito. Prometi a ele e a mim que nunca mais teria outro namorado, que nunca me casaria. O tempo passou, senti falta de companhia, queria ter filhos e não conseguia namorar ninguém. Muitos homens se interessavam por mim. Saíamos algumas vezes e logo eles sumiam. Não queriam me ver mais. Isso ocorreu muitas vezes e me deixava triste. Aí, uma professora me convidou a ir a um centro espírita com ela para receber passes. Fui, melhorei e percebi que naqueles anos eu não estivera bem. Indaguei a uma senhora médium que lá ajudava o que se passava comigo. Ela me explicou que meu ex-namorado, o Dirceu, estivera ao meu lado aqueles anos todos. Ele, com ciúme, não deixava ninguém se aproximar de mim, cobrava a promessa que eu fizera. Foi muito bom para mim ter ido àquele centro espírita, e foi também para o Dirceu, pois ele compreendeu que tinha de viver como o desencarnado que era. Conheci Willian e achei que poderíamos dar certo. Éramos ricos e viúvos... Eu sempre me considerei viúva. Tínhamos chances de ser felizes e eu de realizar o sonho de ser mãe. Será que a primeira esposa de Willian está aqui e por ciúme quer me prejudicar? Estou com medo".

Mary deu um passe em Aidê, que se acalmou e dormiu. A socorrista ficou olhando-a e pensando no que acontecera com ela. Muitas pessoas se confundem e, ao desencarnar, não querem admitir que o corpo físico morreu. Muitos se iludem e não aceitam o inevitável, ficando perto de afetos. Em alguns casos, isso pode resultar em obsessão, isto é, o desencarnado permanece ao lado de um encarnado, participando de sua vida e podendo até interferir nos acontecimentos diários. Há uma troca de energias entre os dois. O espírito absorve, retira para si energias do que está na matéria para sentir-se alimentado. E o que está no invólucro físico sente as sugestões e angústias do desencarnado. Essa troca de fluidos existe porque os imprudentes e os iludidos não querem aceitar a mudança de plano. Há infelizmente os que obsedam por ódio e vingança. Esses casos são mais complicados de ser resolvidos, porque tem de haver a reconciliação e o perdão. Às vezes, basta orientá-los, como aconteceu com Aidê e Dirceu. Muitos desencarnados não têm intenção de prejudicar os afetos nem querem, e, quando compreendem, aceitam o socorro e vão para um abrigo. Os dois se amaram muito, eram noivos. Ele desencarnou tragicamente num acidente, não aceitou a mudança de plano e ficou ao lado dela, que num momento de dor, no velório, prometeu que não teria mais ninguém, que não amaria nenhum outro homem. Não se deve fazer promessa, principalmente em momento de desespero. Mesmo junto dela, Dirceu foi aos poucos entendendo o que acontecera, porém não quis afastar-se de sua amada, cobrando-lhe a promessa e fazendo tudo o que estava ao seu alcance para afastar seus pretendentes. Ao ir pedir auxílio em um centro espírita, eles certamente o orientaram numa reunião de desobsessão e o encaminharam para um local de socorro. Esse esclarecimento o fez compreender que a vida continuava para ele e para ela. Essas elucidações fazem bem tanto para os que vão para a Espiritualidade como para os que ficam no plano físico.

Mary desceu as escadas e viu Eva limpando a sala de jantar. Ela estava nervosa e gerava uma energia negativa por estar com muita raiva. Aproximou-se da empregada e ouviu-a, em pensamento:

"Willian é cafajeste! Malandro! Só se casou com Aidê por dinheiro! Primeiro enganou dona Lia. Foi fácil se casar com ela, uma viúva com dois filhos. Sei muito bem o que ele faz! Com sua conversa agradável, ele ilude as mulheres. Não sei por que fui envolver-me com ele. Esse investigador vai descobrir tudo. É culpa dele! Odeio você, Willian! Tenho vontade de matá-lo!"

"Descobrir o que, Eva? Pense! O que teme ser descoberto?"

Mary induziu Eva a pensar, mas esta não aceitou a sugestão dela e ficou só xingando Willian em pensamento.

A socorrista tentou passar energias benéficas para acalmá-la. Eva não as aceitou, repeliu-as e continuou no seu baixo padrão vibratório, com seus pensamentos de raiva. Querendo o mal do próximo, a empregada criou para si uma couraça que não permitia que nenhum fluido benéfico entrasse. Isso acontece muito. Às vezes, as pessoas não recebem energias restauradoras, nem em câmaras de passes, por causa de seus maus pensamentos. Raiva, ódio e rancor barram as energias boas, e elas voltam à origem. Algumas pessoas não se tornam receptivas para receber essas vibrações benéficas. Isso ocorre até com médiuns, que às vezes se queixam que seu protetor não está presente, pois deixou que coisas ruins lhe acontecessem. Em primeiro lugar, nem tudo o espírito pode fazer pelo encarnado. Em segundo, muitas vezes imprudentemente o médium cria uma energia negativa por atitudes indevidas, formando essa barreira. É claro que ela se desfaz assim que a pessoa se acalma, ora, pensa diferente, mas às vezes ela pode ficar no físico, dando ao indivíduo algum mal-estar. E, se persistir, pode se acumular e adoecer o físico. Fluidos gerados como os de

Eva incomodam espíritos bons, que quase sempre preferem afastar-se. Já os espíritos maus, infelizmente, gostam de aumentá-los.

Mary sentiu Lia chorar e foi para o paiol.

capítulo oito

Visitando Edson

"Se estivesse viva, diria que iria morrer de tanto chorar. Mas já morri!", exclamou Lia, sentida.

"Só o corpo físico morre", disse Mary. "A vida continua após a morte carnal. Somos sobreviventes da tragédia que é o falecimento do corpo físico. Sofreríamos menos se compreendêssemos mais esse fato natural. Porque todos que nascem morrem; quem encarna desencarna. Acho, minha cara, que, ao termos o corpo morto, sentimos de imediato os reflexos de nossa existência carnal. Para aqueles que viveram sem apego, fazendo o bem, não se deixando escravizar por coisas materiais e se ligando às espirituais, a desencarnação é tranqüila. Não existe a morte que acaba com tudo.

Só existe a vida. E essa mudança para ser boa ou má. Depende só de nós."

"Zé Grilo me disse uma vez que só morre quem é vivo, mas isso não me serviu de consolo", disse Lia, suspirando.

"Continuamos vivas, Lia. A morte do corpo só nos leva a viver de outro modo."

"Estou com saudade do Edson", falou Lia, enquanto lágrimas escorriam abundantemente pelo seu rosto. "Sofri muito quando ele desencarnou e ainda sofro. É muito triste ver alguém que amamos falecer. Quando vi meu filho no caixão, pensei que fosse morrer também. A dor é muito grande."

Lia chorou alto. Mary também chorou, só que baixinho. A socorrista sentiu a dor da companheira.

"Querida!", exclamou Lia. "Você é minha amiga! Porque podemos dizer que alguém é nosso amigo quando este sofre conosco! Estamos chorando juntas!"

"O pranto nos dá alívio!", esclareceu Mary.

"Minha amiga, eu não tenho muito a oferecer. Você quer dormir neste canto? Cedo-lhe o meu lugar. Quer meus sapatos?"

"Não quero nada, Lia. Obrigada. Estou bem sentada neste banco e tenho os meus sapatos. Você não quer descansar um pouco? Dormir?"

"Tenho receio de dormir a essa hora", respondeu Lia, "e não conseguir fazê-lo à noite. Passar a noite acordada é muito triste. E agora parece que não terei mais o Zé Grilo para conversar. Ele sumiu! Enquanto você estava lá na casa, fui atrás dele. Não o encontrei e não vi mais o buraco em que dormia. Ele desapareceu. Acho que foi viver onde os desencarnados moram. Deus deve ter tido pena daquele anão. Quando encarnado, ele fez atos errados e seu castigo foi grande. Tomara que esteja bem".

"Certamente está", respondeu Mary. "Descanse, Lia. Caso fique acordada à noite, eu lhe faço companhia."

A socorrista fez com que Lia dormisse. Ficou por minutos pensando onde estaria o filho dela que desencarnara e o que teria de fato acontecido. Resolveu ir ao posto de socorro que havia visitado e onde Esmeralda e Zé Grilo foram abrigados. Volitou até ele. No portão, disse que queria informações e foi convidada a entrar. Atendida novamente pelo orientador da casa, Mary foi direto ao assunto e pediu:

"Gostaria de obter informações sobre uma pessoa: Edson, filho de Lia, que desencarnou há alguns anos".

Mary continuou a conversa dando mais detalhes.

"Recordo-me desse fato. O mocinho estava com dezesseis anos. Ele atualmente está numa colônia que abriga suicidas", esclareceu o orientador.

"Meu Deus! Ele se matou! Então é verdade o que Willian pensou. Quero ir lá. Como faço?", indagou Mary.

"Vou pedir para um socorrista da casa levá-la", respondeu o orientador, gentilmente.

Não é porque desencarnamos que sabemos tudo, como também os socorristas não conhecem todos os lugares do plano espiritual, que é tão extenso quanto o plano físico ou mais. Desencarnados com mais conhecimento e experiência, ao terem referências sobre determinados lugares, podem se sintonizar e ir sozinhos. Mary ainda não os tinha o suficiente para isso. Ela só foi ao posto de socorro porque ele era perto. Carlos Augusto havia lhe falado e dado referências sobre o local onde estava localizado, como era etc.

Logo foi até eles um senhor de agradável aspecto.

"Este é Josemar, um trabalhador que conhece bem a região e a casa de socorro em que quer ir."

Após os cumprimentos, eles saíram do posto de socorro. Josemar pegou delicadamente na mão de Mary e eles volitaram. Logo estavam em frente a uma colônia de porte pequeno, perto do Umbral, em que eram abrigados imprudentes que deserdaram da existência no físico.

Há muitas dessas casas de auxílio ou socorro pela Terra, pelo Brasil. São singelas, simples, com jardins floridos e com grandes enfermarias, que estão sempre com muitos abrigados. Eles foram recepcionados por uma moça muito bonita: Nelma. Após escutar Mary, ela os conduziu para uma ala onde estavam em tratamento, em recuperação jovens que fugiram da vida física e encontraram muitas decepções e sofrimentos na continuação da vida, na Espiritualidade.

Entraram numa enfermaria com tudo muito limpo e com doze leitos. Nelma aproximou-se de um leito e disse:

"Aqui está o Edson. Vou acordá-lo para que você, Mary, converse com ele. Edson! Acorde! Você tem visita!"

O jovem abriu os olhos e observou bem os dois, Mary e Josemar, tentado reconhecê-los.

"Você não nos conhece, Edson", disse Mary. "Sou amiga de sua mãe, de Lia."

"Como mamãe está? Ela ainda sofre muito pela minha morte? Hoje cedo eu a senti chorando por mim", falou ele.

"Sua mãe desencarnou e...", disse Mary.

"Desencarnou? Como? Por quê? Ela se suicidou?", perguntou o garoto.

"Lia não se suicidou", respondeu Mary.

"Ainda bem!", exclamou Edson, aliviado. "Como ela está?"

"Querendo vê-lo", respondeu Mary.

"Ela sabe o que aconteceu comigo?", indagou ele.

"Encarnada, ela acreditava que fora um acidente. Só agora ficou sabendo de tudo, depois de ouvir os pensamentos de Willian. Mas não sabe dos detalhes", respondeu Mary.

"Queria lhe pedir perdão", disse Edson.

"Vou sair um pouco e já volto", falou Mary.

Mary chamou Nelma com a mão e elas saíram do quarto. Foram ao jardim e Mary pediu:

"Será que não podemos trazer a mãe para vê-lo? Lia ainda não foi socorrida, mas será, com certeza, em breve. Se os dois se virem e se entenderem, será bom para ambos."

"Podem", respondeu Nelma. "Vai ser muito bom para ele pedir perdão à mãe por tê-la feito sofrer tanto. Uma grande angústia que sentem os que imprudentemente deserdaram da vida encarnada é o remorso por ter causado transtornos e padecimentos a entes queridos. Saber da dor dos pais e senti-la os amargura, e eles sentem uma grande vontade e necessidade de serem perdoados. Traga a mãezinha do Edson.

Vou prepará-lo e o trarei para cá, para o jardim, onde os dois conversarão."

"Você me ajuda, Josemar?", perguntou Mary ao socorrista, que a acompanhava.

"Ajudo!"

Volitaram até o paiol.

"Lia, acorde! Temos visita!", exclamou Mary.

Ela acordou, sentou-se e observou o socorrista. Mary explicou:

"Este é Josemar, um senhor desencarnado como nós que pode nos levar até Edson".

"Para ver meu filho?", perguntou Lia, espantada.

"Sim", respondeu Mary. "Ele veio aqui para nos levar. Você chorou, pediu a Deus para vê-lo e o Pai Amoroso permitiu que alguém viesse ajudá-la."

"Muito obrigada! Primeiro a Deus e depois a você, Josemar. Quero ir!"

Lia levantou-se e Mary ajeitou-a. Passou as mãos por sua roupa, limpando-a, e arrumou seus cabelos.

"Pronto! Você está bem! Lia, aproveite a oportunidade dessa visita e entenda-se com seu filho, escute-o. E não chore, para não deixá-lo triste", recomendou Mary.

"Quero abraçá-lo e dizer que o amo!", exclamou Lia.

Os três deram as mãos e Mary pediu para a amiga que fechasse os olhos. Volitaram. Quando abriu os olhos, Lia estava no jardim da colônia, próxima a Edson, que estava sentado num banco. Lia ficou parada por um instante, olhando-o. Depois correu até ele, abraçou-o e beijou-o:

"Edson, filho do meu coração!"

"Mamãe! Minha mãe!"

Os dois choraram abraçados. Josemar disse que ia aproveitar para visitar um amigo ali na colônia e Nelma falou que ia esperá-los sentada num banco não longe deles. Mary acomodou-se perto dos dois e ficou quieta, escutando-os.

"Mamãe, perdoe-me! Agi errado!", exclamou Edson.

"Perdôo, meu filho! Conte-me o que aconteceu. Por que agiu erradamente?", pediu Lia.

Edson pegou na mão da mãe e falou calmamente, explicando tudo. Não era fácil para ele confessar seus erros, mas sentia-se aliviado por fazê-lo:

"Como Jorge Luís era homossexual, éramos ridicularizados pela turma da escola. Fiquei com medo de ser também. Meus colegas zombavam de mim e criticavam-me. Eu sofria com a situação. Odiava meu irmão por isso. Conheci um grupinho que me entendeu. Eles se drogavam e passei também a fazer uso de drogas".

Edson fez uma pausa, suspirou tristemente e, sentindo o olhar amoroso da mãe, continuou a falar:

"A diretora da escola descobriu e conversou com Willian. Ele resolveu me corrigir, conversou comigo, explicou os inconvenientes que os tóxicos me trariam. Seu marido foi bom comigo. Só que naquela época achei que ele estava se intrometendo na minha vida. Afinal, ele era só meu padrasto. Discutimos. Willian me vigiava, mas mesmo assim fui me envolvendo cada vez mais com as drogas. Percebi que era um dependente e que não conseguiria mais ficar sem elas. Precisava cada vez mais de dinheiro para sustentar o meu vício. Então, roubei o talão de cheques de Willian, falsifiquei sua assinatura e comprei drogas para mim e para o meu grupo. O gerente do banco telefonou para Willian. Ouvi atrás da porta ele falando sobre os cheques. Temi ser desmascarado. Certamente dessa vez ele ia lhe contar tudo. Estava apavorado e achei que não valia a pena viver. Saí a cavalo, parei na pedreira, tomei uma overdose, esperei alguns minutos e pulei lá de cima, como se fosse sair voando, como um pássaro. Caí e meu corpo morreu. Permaneci, em espírito, junto ao invólucro sem vida. Vi de forma confusa quando me acharam, a dolorosa autópsia, o velório e a senhora chorando em meu enterro. A escuridão do túmulo me apavorou. Depois me tiraram de lá. Hoje sei que foram os socorristas que auxiliam no cemitério que me ajudaram. Fui para um lugar triste, o Umbral, onde outros como eu se reúnem para se queixar. Foi tudo muito confuso e triste. Arrependi-me e sofri demais. Fui trazido para cá, onde estou me recuperando. Sei que a fiz sofrer e seu perdão para mim é muito importante".

"Edson, Willian não foi mau com você!", exclamou Lia.

"Não, ele tentou ajudar-me. Willian contou tudo isso para a senhora?"

"Ele não me falou nada. Para mim você havia desencarnado por um acidente. Depois, até desconfiei que ele o tinha matado", respondeu Lia.

"Willian foi bom comigo", repetiu Edson. "Ele fez de tudo para que eu não me viciasse nem saísse com más companhias. Se não lhe contou a verdade, é porque quis poupá-la. Mamãe, meu pai tem vindo me visitar. Ele também sofreu com a desencarnação. Não estava preparado e revoltou-se com a mudança de plano que foi obrigado a fazer com a morte de seu corpo físico. Arrependeu-se por tê-la traído e por ter feito Isaura prometer que cuidaria de nós. Ele acha que estragou a vida dela. Aborreceu-se muito quando a senhora casou-se novamente. Agora está numa colônia, aprendendo a viver como um desencarnado. A senhora já sabia que meu pai foi amante de Isaura?"

"Soube há pouco tempo", respondeu Lia, suspirando.

"Mamãe, lembre-se de que Isaura foi sempre boa conosco e que a ajudou demais. Gosto dela!"

"Você tem razão, Edson. Isaura foi muito boa conosco. É disso que devemos lembrar. Continuo gostando dela!"

"Ainda bem!", exclamou o garoto.

Ficaram conversando e lembrando de fatos agradáveis. Mary levantou-se e foi sentar-se junto a Nelma, deixando-os juntinhos e à vontade.

"Nelma, você trabalha aqui há muito tempo?"

"Há sete anos. Gosto muito desta colônia."

"Teve algum motivo especial para você escolher esse trabalho?", quis saber Mary.

Nelma sorriu, compreendendo a curiosidade dela, e respondeu:

"Na minha penúltima encarnação, desencarnei por imprudência, suicidei-me. Achei que estava apaixonada, fui desprezada e tomei veneno. Sofri por muito tempo e fui socorrida por bondade do Pai Maior, por dedicação de pessoas que ajudam os que sofrem. Irmão auxiliando irmão. Estive abrigada numa colônia igual a esta e depois tive o esquecimento com a bênção da reencarnação. Voltei a vestir um corpo físico. Esquecer aquele ato insensato me fez bem! No físico, fui deficiente, surda-muda. Era filha de mãe solteira. Nós nos amávamos muito. Minha mãezinha tomou conta de mim com amor e, quando adulta, fui eu quem cuidou dela, que ficou doente. Um dia, ao ir à padaria, olhei o semáforo, que estava aberto para os pedestres, e pus-me a atravessar a movimentada avenida, tranqüilamente. Um caminhão, que estava com o freio avariado, descia em alta velocidade. Pessoas gritaram, só que, como eu não ouvia, fui atropelada. Desencarnei. Dessa vez foi diferente. Mereci ser socorrida imediatamente. Tive uma existência exemplar: não me revoltei, fui boa filha e fui religiosa. Minha mãe sofreu muito com a morte do meu corpo físico. Dois anos depois ela veio se encontrar comigo. Hoje ela mora em outra colônia e nos visitamos sempre".

Nelma fez uma pausa, sorriu de modo delicado e continuou a falar:

"Ao vir para o plano espiritual, adaptei-me rapidamente. Dias depois estava falando e ouvindo. Aprendi a viver na Espiritualidade, passei a ser útil. Tinha horror só em falar em suicídio e, como esse assunto me incomodava, recordei que já me suicidara. Pedi para trabalhar auxiliando ex-suicidas. Estudei para servir com sabedoria e vim para esta colônia. E aqui estou, agradecida por poder ajudar num local parecido com aquele onde fui ajudada".

"Aqui há muitos abrigados?", perguntou Mary.

"Sim, há muitos", respondeu Nelma. "Nossos socorridos normalmente ficam aqui por muito tempo. Temos deste lado as enfermarias. Do lado esquerdo temos as salas de aula, as bibliotecas, a área de lazer, onde os que se encontram melhor têm a oportunidade de aprender a viver como desencarnados, de fazer o bem, de ser úteis à comunidade que os abriga. Eu leciono no período da manhã. À tarde auxilio nas enfermarias, onde estão os jovens. Tenho folga um dia na semana, e hoje é minha folga. Normalmente prefiro ficar aqui fazendo alguma tarefa extra, como agora, que estou acompanhando Edson nessa visita tão importante de sua mãe."

"São muitos os jovens socorridos aqui?", quis saber Mary.

"Infelizmente, sim", respondeu Nelma.

"Não entendo como alguém pode ter coragem de matar seu próprio corpo. A morte é sempre tão temida!", exclamou Mary.

"É difícil julgá-los, seja de corajosos, seja de covardes. Para muitas pessoas, os suicidas são covardes ao querer abandonar a vida física fugindo dos problemas. E você tem razão. Temos medo de morrer. Assim, muitos os tacham de corajosos. Para mim, são infelizes, porque a vida não acaba e eles não conseguem fugir dos problemas, que não são resolvidos no plano material, mas se agravam no plano espiritual. Mesmo os que são socorridos padecem, pois sentem remorso, e a maioria tem os reflexos do corpo e das dores que passaram. É muito pior o estado deles quando estão vagando. E padecem muito quando estão no Vale dos Suicidas[*], lugar em que se reúnem no Umbral. E, como Edson, são muitos os jovens que matam a si mesmos. Aqui temos alas só para eles. Gosto muito de estar aqui. Amo o que faço e cada jovem que auxilio. Penso no quanto eu já fui auxiliada."

"Você tem planos para o futuro?", perguntou Mary.

"Tenho. Quero ajudar suicidas por mais uns vinte anos. Depois vou estudar, me preparar para reencarnar e, no corpo físico, trabalhar em favor da vida. Quero tentar impedir que pessoas matem seu próprio invólucro carnal", respondeu Nelma, entusiasmada.

"Você conseguirá! Sabe por quê? Porque você ama o que faz!", expressou-se Mary. "Nelma, notei que Edson não se levantou e permanece sentado. Ele não consegue fazê-lo?"

"Não", disse Nelma. "Edson se pune. Ele não consegue mexer as pernas e sente dores atrozes quando pensa na sua queda. Está fazendo tratamento, e creio que por muito tempo ainda se sentirá assim. Disse a você que ia prepará-lo e o fiz. Fortifiquei-o, para que não sentisse dores, e o coloquei sentado. Espero que a mãe não perceba. Vê-lo tranqüilo é melhor para ambos. Ela pensará no filho sadio e ele se esforçará para ficar como a mãe o imagina."

O socorrista Josemar que as levara foi até Mary e disse a ela:

"Está na hora de voltarmos".

Aproximaram-se dos dois. Mãe e filho estavam abraçados. Beijaram-se emocionados na despedida. Agradeceram à Nelma. Os três saíram da colônia, deram as mãos e volitaram. Em instantes estavam no paiol.

"Obrigada, Josemar! Deus lhe pague!", exclamou Lia, agradecida.

"Por nada! Agora vou embora. Tenho muito o que fazer", falou o socorrista.

"Será que você não pode me levar?", perguntou Lia. "Não quero mais saber quem me matou nem por quê. Perdôo todos. Quero recomeçar."

"Fico contente por você pensar assim, Lia", disse Mary. "Mas, há um assassino ou uma assassina na chácara que está querendo cometer outro crime. A vida de Aidê corre perigo. Você deve ficar mais um pouco aqui e tentar ajudá-la."

"Você tem razão", falou Lia. "Não é estranho? Eu ajudar a esposa do meu marido? Pensando bem, não é tão estranho assim. Eu também fiquei viúva e casei logo em seguida. Está bem, Mary. Eu fico, e vou esforçar-me para ajudá-la a não ser assassinada."

Josemar despediu-se e as duas ficaram sozinhas no galpão.

"Estou contente por ter visto meu filho", disse Lia. "E confusa! Willian o ajudou, cuidou de tudo, me poupou. Ele não matou Edson! Quanto a mim, já nem sei o que pensar. Será que foi ele? Eva? Os dois? Alguém do grupo homossexual que nos visitou? Não tenho raiva de quem fez isso. Willian me ajudou, Eva foi criada na casa conosco. Queria ir embora, mas não é certo deixar a coitada da Aidê que está grávida ser assassinada. Só tem um inconveniente. Não sei o que fazer para evitar um crime. Você sabe?"

"Vamos vigiar e tentar descobrir quem quer assassiná-la", respondeu Mary.

"E, se descobrirmos, o que iremos fazer? Iremos à polícia, contaremos ao delegado? Eles nos escutarão?", indagou Lia.

Mary compreendeu que era bem complicado e respondeu, sorrindo:

"Vamos confiar! Se aqui estamos para fazer isso, devemos fazê-lo da melhor maneira possível, e dentro das nossas possibilidades."

"Mary, você acha que um dia eu poderei ficar perto do meu filho Edson?"

"Sim, mas pode demorar um pouco", respondeu Mary. "Você deve ir primeiro para outro lugar, para uma colônia, isto é, uma cidade espiritual. Deve aprender a viver como desencarnada, a ser útil, e aí poderá pedir para trabalhar onde seu filho estiver."

"Não ficaremos juntos porque ele se suicidou, não é?", indagou Lia. "O que ele fez foi uma grande imprudência. Ainda bem que não existe castigo eterno e o sofrimento não é para sempre. Deus é bom demais! Vou fazer tudo isso que você disse e mais. Vou dar valor ao auxílio recebido e esforçar-me para aprender. E, quando for possível, cuidarei dele e de outros."

"Esta manhã foi movimentada!", exclamou Mary, suspirando.

"Se foi! Descobrimos muitos fatos e fizemos muitas coisas", disse Lia, concordando.

Lia suspirou. Aquietaram-se por alguns instantes. Então escutaram um barulho: era um carro se aproximando.

capítulo nove

Centro Espírita

"Deve ser o Reginaldo que chegou. Ele é pontual. Disse ontem a Willian pelo telefone que viria hoje e veio", falou Lia.

"Ele é o tal investigador?", perguntou Mary.

"Sim, o primo de Willian que trabalha na polícia. Não o acho uma pessoa agradável nem me parece inteligente. Se pelo menos ele lesse aqueles livros, entenderia que tiraram deles a idéia de me assassinar."

"Por que você não gosta do Reginaldo?", quis saber Mary.

"Ele é mulherengo e, quando vinha em casa, eu tinha a impressão de que ele queria levar meu marido para encontros com mulheres. Mas acho que não era nada disso, já que Willian era amante de Eva, que morava em nossa casa. Vamos lá vê-lo?"

As duas saíram do paiol e foram para a frente da casa. Um senhor gordo, aparentando ter cerca de quarenta anos, desceu do carro com uma maleta. Abraçou Willian e cumprimentou educadamente Aidê. Entraram e sentaram no sofá da sala de estar. Reginaldo indagou a Willian:

– O que acontece, meu primo? Você me parece preocupado.

– Estou achando que algo estranho está acontecendo aqui em casa. Tome seu refresco. Depois vou acompanhá-lo ao seu quarto. Não quer descansar primeiro? Temos tempo para conversar!

– Tenho somente mais alguns dias de férias. Terei de voltar logo para casa.

Reginaldo tomou o refresco e subiu com Willian, que o conduziu ao seu quarto.

As duas, Mary e Lia, ficaram observando-os subir e permaneceram na sala com Aidê, que chamou Isaura e lhe passou algumas ordens e o cardápio para o jantar. A empregada resmungou por não ter os ingredientes para determinados quitutes. Resolveram escolher outros.

"Ela é esnobe", falou Lia. "Isaura é uma boa cozinheira, mas não sabe fazer essas comidas diferentes. Se esta moça ficar por aqui, vai modificar tudo."

"Vamos subir e ouvir o que Willian está falando com Reginaldo", convidou Mary.

A porta do quarto estava fechada e Lia pediu:

"Faça como da outra vez: me empurre para eu entrar".

Quando as duas entraram no quarto, Willian tirou um maço de dinheiro do bolso e deu ao primo.

– Reginaldo, aceite isto! E resolva o caso para mim!

– Não é fácil trabalhar nas férias! – comentou ele.

– Você já me fez alguns favores, sei disso, como sei também de muitos outros fatos. Além do mais, estou pagando e, se tudo der certo, receberá outro tanto. E você gosta de dinheiro, não é? Irá recusar esse favor?

– Não! – exclamou Reginaldo. – Agora me conta o resto. O que aconteceu por aqui e o que tenho mais de saber.

As duas se olharam, mas não falaram nada. Queriam escutar tudo.

– Meu primo, quero lhe falar longe de Aidê. Acho que alguém quer matá-la – falou Willian.

– Acha ou tem certeza? Como? Por quê? – perguntou Reginaldo.

– Isso é você que vai ter de descobrir. Na semana passada, Aidê tinha de levar alguns documentos numa cidade próxima, que fica a cem quilômetros daqui. Você sabe que para ir lá existem trechos perigosos, sobe e desce de serra. Minha esposa acordou naquele dia passando mal, vomitando muito, e eu pedi para Adelino, nosso empregado, levar os tais documentos. Ele é meu funcionário há anos, dirige bem e devagar. Era motorista de Lia e das crianças. Ele foi e, na primeira descida da estrada, notou que o carro estava sem freio. Não se apavorou, e essa foi sua sorte. Conhecendo bem o caminho, ele desviou o carro para uma vicinal e jogou o veículo no pasto, só danificando a lataria. Ele não se machucou. Levei o carro na oficina mecânica para consertar e eles não notaram nada de anormal. Achei que fora um mero acidente. Depois, ontem à noite, estávamos Aidê e eu na varanda quando um vaso pesado de cerâmica, um dos que estão há anos na mureta, caiu. Se eu não a tivesse empurrado para o lado, ele teria se espatifado em cima dela. Foi então que desconfiei que alguém queria matá-la. Pode ser só impressão, coincidência, mas pode não ser.

– Willian – disse o investigador –, ainda não entendi como Lia morreu. Ela era conhecedora de cogumelos e tomou uma sopa com um ou alguns venenosos. Como foi isso?

– Pois foi isso que aconteceu! – exclamou Willian. – A morte da minha primeira esposa nada tem a ver com o que acabei de narrar. Lia se enganou, e seu erro foi fatal.

– Será mesmo, Willian? – perguntou Reginaldo, olhando fixamente para o primo.

– Não quero que verifique nada sobre a morte de Lia. Ela já morreu, está enterrada e pronto – respondeu Willian.

– Bem, vou começar investigando esse tal de Adelino. Mande chamá-lo e peça que espere na sala. Já vou descer.

Willian saiu deixando Reginaldo no quarto. As duas se olharam e Mary falou:

"Parece que seu ex-marido chantageia o primo".

"Pois eu tenho certeza!", exclamou Lia.

"Você sabe por quê?", indagou a socorrista.

"Reginaldo era tão pobre quanto Willian. Ele ganha um ordenado que dá para viver modestamente, entretanto mora numa mansão grande e bonita, tem casa de veraneio e dois apartamentos. Meu esposo uma vez me disse que o primo estava envolvido com traficantes de droga. Acho que não está mais. Willian sabia desse fato e deve ter provas. Agora o está chantageando. E coitada da Eva! Acho que os dois vão culpá-la de tudo!"

"Já não sei o que pensar", falou Mary. "Se Willian chantageia Reginaldo, ele está escondendo algo. Pelo menos essa é a impressão que dá."

"Como dizia minha avó", falou Lia, suspirando, "'ninguém é bom o suficiente que não tenha feito uma maldade. Como também uma pessoa não é só má, pois os maus podem fazer coisas boas'. A maioria de nós faz o bem, mas também pode fazer atos ruins. Já estava achando que Willian não tinha nada a ver com o meu assassinato, mas agora volto a ter certeza de que foi ele".

Reginaldo abriu a mala, guardou algumas roupas no armário e pegou uma caderneta, um bloco de anotações. Depois, desceu até a sala. Adelino já o esperava. Após os cumprimentos, o investigador pediu:

– Conte-me com detalhes como foi o acidente na serra.

– O carro do sr. Willian é novo. Só tem dois anos e pouco de uso. Levo-o para as revisões. Parecia estar tudo bem. Naquela manhã, meu patrão pediu-me para levar alguns papéis a uma cidade vizinha. Na primeira descida, percebi que não havia freio. Saí da estrada, peguei uma outra de terra que vai para uma fazenda, assim que foi possível saí para o pasto e o carro parou.

– Você teve medo? – perguntou Reginaldo.

– Não, agi normalmente – respondeu o empregado.

– Na sua opinião, se isso tivesse ocorrido com seus patrões, o que teria acontecido?

Adelino pensou um pouco e respondeu:

– O sr. Willian conhece a estrada, só que dirige em alta velocidade. Talvez fizesse o que eu fiz. Ele pediu-me para fazer esse serviço porque, como me disse, tinha de ir a uma audiência de uma ação movida por um ex-empregado da chácara. Agora, se fosse dona Aidê, eu não sei. Ela não conhece a estrada e parece que não é boa motorista. Se acontecesse com alguém que se apavorasse, acho que poderia ocorrer um acidente fatal. A estrada é muito perigosa.

– Audiência com ex-empregado! – expressou-se Reginaldo. – Quem é esse ex-empregado? Por que foi dispensado? Houve brigas?

– É o Douglas, um moço arrogante. Ele não gostava de receber ordens minhas. Reclamei para o patrão, que lhe chamou a atenção. Dois dias depois, por pirraça, ele arrancou do jardim as roseiras que dona Lia havia plantado. Isaura ficou nervosa e queixou-se ao sr. Willian, que o mandou embora por justa causa e não pagou o que era devido. Douglas xingou muito. Falou até demais. Disse que iria se vingar e cumpriu: fez uma reclamação trabalhista!

– Você acha que ele seria capaz de fazer alguma outra maldade? – quis saber Reginaldo.

– Não sei! – respondeu Adelino, sem muita convicção.

"Lia, você conheceu esse empregado?", perguntou Mary para a amiga.

"Conheci. Sempre me pareceu uma pessoa normal. Acho que seria incapaz de matar alguém. Esse desentendimento deve ter sido depois de minha desencarnação, pois estou sabendo disso agora."

Reginaldo continuou a inquirir o empregado:

– Douglas conhecia a casa por dentro?

– Sim – respondeu o empregado. – Às vezes Isaura pedia para que ele fizesse algumas limpezas mais pesadas dentro da casa.

Lia falou para Mary:

"Será que meu assassinato nada tem a ver com esses atentados contra Aidê? Ou estão querendo é matar Willian? Será que Douglas está envolvido? Ele era casado, mas estava sempre tentando conquistar Eva".

Reginaldo fez várias perguntas. Algumas sem sentido. Quis saber até sobre os cogumelos. Quando falou para Adelino que ele podia ir embora, este saiu nervoso.

"Lia", pediu Mary, "fique por aqui e acompanhe o primo do seu ex-marido. Eu vou acompanhar Adelino. Preste atenção em tudo e fique bem atenta a todas as conversas".

O empregado foi para o pátio aborrecido. Mary escutou seus pensamentos:

"Não estou gostando disso! Se emprego não estivesse tão difícil, eu me demitiria. Mas, se eu sair agora, vão achar que sou o culpado! Será que tem culpado nesse caso? Ricos pensam sempre diferente, têm mania de perseguição. E a corda arrebenta sempre do lado mais fraco. Será que dona Lia foi assassinada? E o sr. Willian será o próximo? A vingança de Douglas não ficou só na reclamação? Pareceu que o sr. Reginaldo está achando que estão querendo matar a dona Aidê. Se isso for verdade, com a história do carro, quase que sou eu quem morre! Quem se beneficiaria com essas mortes? Só se... Quem receberia a herança? Senhor Willian? Giovana e Jorge Luís? O filho da dona Lia é estranho! Não estou mais gostando deste lugar. Tenho visto vultos, ouvido risadas... E ainda tem aquela assombração do paiol. É lá que ficam os espectros. Será que dona Lia foi assassinada e vaga por lá, sem descanso? Arrependi-me de ter falado para as pessoas dessas visões. Serei tachado de mentiroso ou de louco. E poderão achar que sou um assassino! Só falta eu ser suspeito! É bem-feito para mim. Neguinha, minha esposa, já me pediu tanto para ir novamente ao centro espírita... Ela tem tentado explicar-me que lá eles me ajudarão a compreender porque ouço vozes e vejo vultos. Sábado passado quase morri de medo. Estava no bar e ia colocar uma pinguinha na boca quando escutei sussurrarem ao meu ouvido: 'Toma devagar que quero beber junto!' Larguei o copo cheio no balcão e fui embora. Não é coisa de louco? É isso que vão achar que sou".

Adelino pensava e às vezes resmungava. Estava chateado e preocupado:

"Por que tenho de ver almas do outro mundo? Deus podia dar essa tal de mediunidade, que faz as pessoas verem defuntos, para quem quisesse. Estou com medo de ir ao paiol!"

Nisso Eva chegou com Reginaldo na horta onde Adelino estava. Lia estava com eles e disse à Mary:

"Estou atenta. Reginaldo pergunta demais e escreve muito no caderno".

– E então Adelino? Você acha que o paiol é assombrado? – perguntou Reginaldo.

O empregado olhou feio para Eva, que deu um sorriso forçado e disse:

– Estou acompanhando o sr. Reginaldo em um passeio em volta da casa. Ele quer rever tudo.

– Você não respondeu, Adelino. Você acredita que o paiol é assombrado? Já viu fantasmas? – insistiu o investigador.

"Que insolente!", exclamou Lia. "Referir-se a mim e ao Zé Grilo dessa forma, chamando-nos de fantasma!"

Adelino encabulou-se, ficou vermelho e respondeu, em tom baixo:

– Senhor Reginaldo, sou médium, vejo espíritos e...

– Já sei – interrompeu o investigador. – Médiuns são pessoas que têm sensibilidade para sentir quem já teve o corpo morto. Sei disso!

– Então por que pergunta? – censurou o empregado.

– Perguntei se você via espíritos – disse Reginaldo, dando uma risadinha.

– Vi alguns vultos no paiol ou acho que vi. Pode ter sido impressão – falou Adelino.

– Não pode ser que tenha visto um ser vivo? Uma pessoa como nós, que entrou na chácara e se escondeu lá?

– Não sei! – exclamou Adelino, não gostando do interrogatório.

Reginaldo olhou-o bem, deixando o empregado mais nervoso ainda. Ele fez uma pausa e falou:

– Você ouviu barulhos, viu vultos, pôs na cabeça que eram fantasmas e por medo não foi verificar o que era. Você não está fazendo seu trabalho direito, que é vigiar a chácara.

– Senhor Reginaldo, tenho certeza de que no paiol não entraram pessoas como nós – defendeu-se Adelino.

– Você procurou? Olhou direito? – insistiu o investigador.

– Não!

– Eva, vamos continuar nosso passeio – convidou Reginaldo.

Os dois caminharam rumo ao paiol sem sequer despedir-se de Adelino, que pensou:

"Tomara que eles vejam os vultos! Como Eva é faladeira! Já me dedurou! Hoje vou embora mais cedo. Vou sair quietinho".

Lia acompanhou os dois, que olharam o paiol e o antigo cultivo de cogumelos. Depois, voltaram para a casa. Adelino guardou as ferramentas e foi para a sua residência. Mary o acompanhou. Ele foi resmungando:

– Maldito paiol assombrado! Acho melhor eu ir ao centro espírita hoje!

Em casa, sua esposa, Neguinha, foi recebê-lo carinhosamente:

– Adelino, por que você veio mais cedo?

– Hoje vou ao centro espírita com você. Estou cansado de não entender essas visões de defuntos. Estou com medo que as pessoas me achem louco.

– Não é defunto, Adelino. Pessoas que tem o corpo físico morto são desencarnados – corrigiu Neguinha.

– Pior! Desencarnado é um ser sem carne. Não faz diferença como eu os chamo. São todos feios!

– Você um dia irá morrer – disse a esposa.

– Se isso acontecer, vou ser mais um defunto e não terei medo dos outros. Vou ao centro espírita porque estou cansado. Ou eles tiram isso de mim, ou me fazem compreender para eu não ter mais medo.

Adelino foi tomar banho. Minutos depois os dois saíram de casa em direção ao centro espírita. Mary foi junto.

Era um salão grande, com cento e cinqüenta lugares, e quase todas as cadeiras estavam ocupadas. Os dois acomodaram-se e Adelino observou tudo e todos.

Mary cumprimentou dois trabalhadores da casa, do plano espiritual, que ficavam recepcionando e encaminhando os que ali chegavam sem o invólucro físico. Foi convidada a ficar numa parte reservada para visitantes. Entretanto, ficou atenta ao casal que acompanhava.

Uma senhora encarnada fez uma oração muito bonita. Depois um senhor que era médico, o dr. Lúcio, fez a palestra. Neguinha explicou, falando baixinho ao marido:

– Ele vai falar sobre Jesus!

Doutor Lúcio leu um texto do livro *O Evangelho Segundo o Espiritismo* em que Jesus amaldiçoa a figueira por não ter encontrado frutos nela. [1]

Depois explicou com voz agradável.

– Essa parábola causa indignação em muitas pessoas. Certo dia, Jesus estava com seus discípulos e passaram perto de uma figueira. Como estavam com fome, aproximaram-se da árvore e procuraram frutos. Não encontraram, porque não era tempo de ela produzir. O Mestre, vendo que a figueira estava cheia de folhas e sem frutos, disse: "Jamais coma alguém fruto de ti".

"Podemos achar que Jesus não foi justo. Por que fazer isso com a inocente árvore, se não era época de ela dar frutos? Jesus fez isso aproveitando-se, como sempre, de um fato ocorrido para ensinar, nos legando um precioso ensinamento. Ele comparou a figueira a nós, seres humanos. Muitos de nós têm abundante folhagem sem fruto algum e vários atos externos sem nenhuma utilidade. O perigo está em sermos espiritualmente estéreis. Nós somos dotados de livre-arbítrio. Podemos escolher ser ou não ser frutíferos em todos os tempos, nos propícios e nos desfavoráveis. Nós, humanos, devemos ser

[1] O leitor poderá encontrar essa parábola nos Evangelhos de Mateus (21: 18 a 19) e de Marcos (11: 12 a 14). (N.A.E.)

espiritualmente úteis, mesmo em épocas difíceis ou em situações adversas.

"Sei que é fácil doarmos algo quando o temos em abundância, quando estamos alegres, felizes e sem impedimentos, sendo mais complicado doarmos quando temos problemas, estamos em dificuldades e nos parece difícil ser úteis. Quem faz o bem em período de facilidades não deixa de ser útil, mas quem o faz em período ruim é realmente bom. Quem produz frutos quando não é tempo é bom! Ser generoso com pessoas boas é fácil. Prazeroso é fazer o bem aos que amamos! Agora, ser caridoso com os maus é mais difícil. Ser puro entre os impuros, luz no meio das trevas é dar frutos o tempo todo. Devemos entender o sentido espiritual dessa parábola, em que Jesus quis nos dizer que nós, seres humanos, temos e devemos produzir frutos sempre, nas adversidades e nas épocas propícias.

"Espiritualmente, temos a possibilidade de sempre dar frutos. Esse fruto é o alimento! Quem produz dá frutos, que são os atos benéficos, e primeiro alimenta a si mesmo e depois o próximo.

"Vocês podem dizer: 'Só tenho momentos complicados!' De fato, não deixam de ter razão. É muito difícil estarmos totalmente sem problemas. Por isso, vemos muitos se lamentando e dizendo:

'Não faço o bem, não sou útil porque...', e a lista de obstáculos é enorme. Como já disse, quem produz dá frutos e alimenta-se primeiro. Observem, amigos: quando não comemos nem bebemos, o corpo físico degenera, perde sua função e morre. Se não usamos nossa mente, ela atrofia. E, se não temos dificuldades, estacionamos. Desenvolvemo-nos resolvendo problemas. Progredimos quando os solucionamos para o bem. E muitas vezes achamos soluções para os nossos problemas quando ajudamos outras pessoas com os delas.

"Ontem mesmo encontrei uma jovem. Ela me falou que sabia que tinha mediunidade, mas por estudar e trabalhar não tinha horário para vir ao centro espírita. Disse a essa moça: 'Converse com Deus, chame nosso Pai para uma conversa séria. Explique-lhe detalhadamente sua falta de tempo e peça que adie para o futuro o seu trabalho com a mediunidade'. Ela ficou séria e me respondeu, após pensar alguns segundos. 'Vou sábado ao centro espírita!' Acho que ela conseguiu organizar seus horários. Temos aqui aos sábados, às dezenove horas, palestras, passes e, após, estudo da Doutrina Espírita. Dia e hora acessíveis a muitos. Quando deixamos de lado o comodismo, a preguiça e outros motivos, nossa conversa com Deus leva-nos a ver e a sentir que a figueira cheia de folhas e força pode dar frutos. Convido vocês, meus amigos, a pensar sobre isso e a fazer o que compete a cada um enquanto realmente se pode, porque pode ser que adversidades sérias nos levem a não poder mais ser úteis, embora para algumas pessoas não exista dificuldade que as impeça de fazer o bem. Conheci um moço espírita convicto, que era cego. Isso para muitos seria desculpa mais do que suficiente para não fazer nada. Mas ele produzia e doava frutos. Jerônimo Ribeiro Mendonça, assim o chamavam. Doente, tinha muitas dores. Era tetraplégico, só movia a cabeça, e excursionava pelo Brasil, dando consolo e alegria com sua voz forte e bonita. E pasmem: ele cantava. Falava de Jesus, do seu Evangelho, consolando as pessoas. Se ele encontrou uma maneira de ser útil, por que nós não podemos encontrar? Se podemos fazer o bem, façamos, porque quem pode e não faz acumula débitos que causam sofrimentos.

"Agora vamos nos preparar para receber o passe, energias benéficas que nos fortalecerão. Que Jesus nos abençoe e nos ajude a dar bons e saborosos frutos!"

Adelino sentiu vergonha. Ele, que até então havia pensado que Jesus faria com todos que não acreditassem nele o que fez com aquela árvore, sentiu-se como a figueira: era forte, sadio e nada fazia de bom para si mesmo nem para os outros.

"É melhor eu dar frutos antes que Jesus me peça conta de tudo o que deveria ter feito e não fiz!", pensou Adelino, arrepiando-se.

Adelino ficou olhando todos os que estavam ali. Viu dona Eny, a professora da escola do bairro. Ela lecionava o dia todo e dava aulas particulares à noite. Seu marido encontrava-se desempregado e doente. Tinha três filhos. E estava ali, dando passes. Neguinha lhe dissera que ela ensinava, aos sábados à tarde, alguns adultos a ler numa das salas do centro espírita, onde funcionava uma escolinha. Viu Waldomiro, seu amigo, que trabalhava de bóia-fria, fazendo trabalho pesado. Viu também dona Augusta, uma viúva que fazia faxinas; o dr. Lúcio, que trabalhava muito e atendia no posto de saúde depois do seu horário normal de trabalho, e sua esposa, Cleuza, que trabalhava na prefeitura e fazia enxovais para crianças pobres.

Adelino recebeu o passe e sentiu-se bem. Mary ficou observando tudo. É sempre prazeroso ir às reuniões de um centro espírita.

"Boa noite!"

Uma das trabalhadoras desencarnadas da Casa cumprimentou-a sorridente.

"Sou uma das servidoras deste local de socorro. Se Adelino realmente resolver trabalhar com sua mediunidade, seremos companheiros de trabalho."

"Você o protegerá?", perguntou Mary.

"Estarei mais tempo com ele. Tentarei orientá-lo sem, porém, fazer o que lhe cabe."

"As pessoas confundem seu trabalho? Isto é, acham que o desencarnado que trabalha junto do médium tem de fazer tudo para ele? Evitar que tenha problemas ou resolvê-los?", quis saber Mary.

"Há essa confusão, esse engano", explicou a trabalhadora da Casa. "Nós, desencarnados, também temos limitações e devemos obedecer a certos critérios. Nosso maior trabalho junto aos encarnados é orientá-los e motivá-los a continuar no bem. Eles, porém, têm o livre-arbítrio de atender-nos ou não. Somos companheiros de trabalho, parceiros que planejam fazer algo de bom juntos."

Ela despediu-se de Mary e foi continuar sua tarefa. Nossa amiga ficou observando o lugar. Acima da construção material, havia uma outra, no plano espiritual: um posto de socorro para abrigar desencarnados. Grande, de agradável aspecto, ele tinha biblioteca, um pequeno hospital e moradias para os trabalhadores desencarnados. Muitos socorridos foram assistir à palestra. Após a reunião, eles voltaram para o abrigo.

Com uma linda oração, foi encerrado o encontro da noite. Todos saíram. Adelino foi embora com sua esposa e no caminho comentou:

– Neguinha, de hoje em diante vou ao centro espírita com você. Irei às quartas-feiras estudar e, se Deus quiser, logo estarei dando passes. Quero dar frutos e não ter mais de me envergonhar por ser uma figueira só com folhas!

Isso deixou Neguinha feliz. Mary também ficou contente. Quando o casal chegou em casa, ela volitou para o paiol.

capítulo dez

A Investigação

Mary não encontrou Lia no paiol. Foi rapidamente para a casa, temendo que a amiga tivesse ficado presa lá dentro. Se eles fechassem as portas, ela não saberia passar.

Mas as portas estavam abertas e o casal tomava chá na sala de estar com a visita. Lia estava atenta e sorriu ao ver a amiga. O trio conversava sobre viagens e, após alguns minutos, resolveu ir dormir. Isaura fechou a casa. A socorrista passou Lia pela porta fechada e foram para o galpão.

"Mary, onde você esteve?", quis saber Lia.

"Com Adelino", respondeu ela.

"Você suspeita dele? Ficou vigiando-o?", perguntou a ex-dona da casa.

"Acho que não foi ele. Nada notei de suspeito", respondeu Mary.

"Foram bem interessantes as conversas que ouvi", disse Lia. "Willian disse a Reginaldo que foi amante de Eva e que teme por Aidê. Pelo jeito que falou, meu ex-marido suspeita de Eva. Para ele é a empregada que está fazendo esses atentados. E você nem vai acreditar no que ocorreu depois! Aidê falou que iria ao médico amanhã cedo. Willian disse que não poderia ir com ela por ter uma audiência no fórum e xingou Douglas. Pelo que ele disse, o empregado é um mau caráter, e a entrada dele aqui na chácara foi proibida. Logo após essa conversa, meu ex-esposo foi ao escritório dar alguns telefonemas e Reginaldo ficou a sós com Aidê, dizendo-lhe:

"'Aidê, estou aqui para protegê-la. Espero contar com a sua colaboração para desempenhar bem meu trabalho'.

"'Se você acha que estou correndo perigo, vou embora daqui ainda hoje!', exclamou Aidê, assustada.

"'Você não deve ficar nervosa. Claro que não corre nenhum perigo. Como já disse, estou aqui para protegê-la! Nunca aconteceu nada com os meus protegidos. Tenho um plano e vou dizê-lo a você. Mas, será segredo. Não deve falar nem para o Willian. Promete?'

"'Nem para o meu esposo? Por quê?', indagou ela, arregalando os olhos.

"'Se mais alguém souber, deixará de ser segredo. Concorda?', falou Reginaldo devagar, enquanto abria e fechava a tampa da caneta que estava em suas mãos.

"'Está bem, guardarei segredo. Pode falar.'

"'Você irá ao médico e dirá a todos que está doente do coração e que terá de tomar um remédio, um tônico para não ter um enfarte. Darei a você um vidro que parecerá remédio. Você dirá que terá de tomá-lo quatro vezes ao dia, seis gotas, e, se não o fizer, poderá ser fatal. Dentro desse vidro só haverá água. Pode tomá-la despreocupada. Aqui está o vidro. Amanhã você misturará com os outros. Deixará aqui na sala, porque terá de tomar antes das refeições.'

"'Você acha que, se alguém quiser me matar, tentará trocar o remédio?', perguntou Aidê. 'Esse plano é simples demais. Se for alguém mais inteligente, não irá cair na sua armadilha.'

"'Ainda não sei se tem ocorrido tentativas de assassinatos e se querem matar você ou Willian. E muitas vezes planos simples dão resultados. Se o alvo não for você, nada acontecerá. Se for, nosso plano pode ser uma tentação para esse criminoso!'

"'Estou confusa!', expressou-se Aidê. 'Estava pensando que era a alma da falecida esposa de Willian que estava querendo prejudicar-me.'"

Lia parou por um instante de falar, suspirou, olhou para Mary e disse:

"Veja que injustiça! Achar que sou eu que quero prejudicá-la! No começo não gostei dela, senti até raiva, mas depois compreendi que Aidê não merece nada de ruim. Ela só quer ser feliz, ter filhos. Reginaldo a acalmou e ela resolveu fazer tudo como planejado. Como vê, minha amiga, o investigador suspeita do primo, senão não ia pedir à Aidê para não dizer nada ao marido. Tudo me parece perfeito: meu ex-esposo matou-me para receber a herança; aí surgiu essa moça mais rica do que eu querendo casar, e ele o fez pensando em assassiná-la e ficar mais rico ainda. É simples demais, só que há alguns detalhes. Por que ele foi bom comigo? Por que tentou ajudar Edson? Por que chamou o primo para investigar? Só se for para ter um álibi. Willian suspeita de Eva ou quer jogar a culpa na empregada, que foi sua amante?"

"Vamos descansar, Lia. Tenho uma intuição de que amanhã descobriremos mais detalhes."

"Estou muito apreensiva para dormir, mas vou tentar", expressou-se a ex-dona da chácara.

Lia ficou quieta e de repente começou a chorar. Mary foi até ela e abraçou-a:

"O que se passa agora?"

"Estou com medo de que Jorge Luís esteja envolvido nessa história de crimes. Ele tem motivos para ter mágoa de mim e de Willian. Isaura o ama muito. Pode ser sua cúmplice. Não é difícil para meu filho estar pagando alguém para matar meu ex-marido. Ou... Pode até ser que Gina tenha algo a ver com os fatos. Ela ama muito o irmão. Ele sempre cuidou dela, foi amigo, companheiro, confidente. Era ele que a ajudava nas lições da escola, a levava onde queria. Eram muito unidos. Gina sofreu quando ele partiu magoado."

"Gina é tão sensível!", exclamou Mary.

"Sim, é. Mas tem um marido que faz tudo por ela. Agenor não é um rapaz sem defeitos. Minha filha o amou assim que começaram a namorar. Não era o genro ideal, o que imaginei para minha menina, mas, como ela o queria, fiz de tudo para que se casassem. Até o eduquei. Ele não sabia nem se alimentar com educação. Não falava corretamente. Acho que é por isso que, aqui em casa, fala pouco. Fui eu quem lhe arrumou o emprego que possui. Dei várias vezes dinheiro para que comprasse roupas. Sem Willian saber, dei a eles os móveis para montarem a casa e o dinheiro para a viagem de núpcias. Minha filha nunca se queixou dele, e por isso acho que valeu a pena. Analisando friamente, Gina é feia, sem graça, e Agenor é muito bonito."

Lia fez uma pausa, suspirando profundamente. Mary pensou que, quando conheceu Agenor, não viu amor em seus olhos. Talvez o moço casara por interesse.

A socorrista não quis falar o que pensava para a sua amiga, nem o que achava de Agenor nem que suspeitava de Eva e a julgava culpada. Ela assassinara Lia com a ajuda de William e agora queria se livrar da outra esposa. Devia estar chantageando Willian, e este planejava culpá-la por tudo ou talvez fazer com que a empregada fosse acusada só de tentar assassinar Aidê. Se o crime de Lia não fosse descoberto, ele sairia ileso.

"Se um dos meus filhos estiver envolvido nesses atentados ou com a minha morte, vou sofrer muito! E a lição será dolorosa por eu ter querido investigar! Ai, meu Deus. Dai-me forças!"

Mary pensou que infelizmente existem muitos assassinos em família. Pais que matam filhos, e estes, os genitores.

"É falta de amor!", exclamou a socorrista.

"Tem razão!", expressou-se Lia, suspirando. "Talvez eu não tenha dado amor aos meus filhos como deveria. Se eles tiverem algo a ver com a minha desencarnação, vou sofrer mil vezes mais do que sofri por ter morrido."

Mary a acalmou e ela adormeceu. A socorrista sentou-se, pegou a mochila que havia levado e que estava em um canto escondida, um livro e começou a ler. Era *O Livro dos Espíritos*, de Allan Kardec, uma edição especial para desencarnados.

Logo que amanheceu, Mary chamou Lia:

"Acorde, amiga! Tem movimento na casa. Vamos lá".

Isaura preparava o café. As duas acharam a empregada abatida, com olheiras. Logo desceu o casal, que tomou o desjejum e saiu. Aidê foi ao médico, e Willian, como dissera, à audiência.

Minutos depois, Reginaldo também desceu e tomou o desjejum. Depois foi para a sala de estar e ficou alguns minutos a examinar a porta de correr.

"O que será que ele olha tanto nesta porta?", perguntou Lia para Mary. "Será que o danado do Zé Grilo tem razão? Ele diz ter visto um vulto de negro entrando na casa por aí. Será verdade? Esse vulto seria encarnado?"

Mary pensou que Zé Grilo tinha motivos para temer vultos vestidos de preto, pois ele fora maltratado por desencarnados maus que se vestiam assim. Pena ele não ter observado melhor e descoberto se o vulto era desencarnado ou não.

"Mary, você acha que Eva pode ter voltado vestida de preto e entrado por esta porta para fazer algo escuso? Será que esse vulto é alguém desconhecido ou alguém que conhecemos e que eu gosto? Será que o criminoso entrou na casa por aqui?", indagou Lia.

"Parece que Reginaldo acha que isso pode ter ocorrido, já que esta porta pode ser aberta facilmente", opinou Mary

O investigador andou pelo jardim, deu voltas pela redondeza e entrou e saiu pela porta de correr da sala de estar várias vezes. Conversou com Isaura e com Eva novamente. Depois, sentou-se em uma poltrona que ficava na sala e fez anotações em seu caderninho. Lia e Mary aproximaram-se para ler.

"Veja, amiga, o que ele escreveu!", expressou-se Mary, indignada. "Estou achando que ele é menos inteligente ainda do que eu pensava. Uma das suspeitas é Isaura!"

De fato, o investigador escrevera o nome da empregada como suspeita. E colocara na frente: "Ela esconde algo, e pelo jeito é grave".

"A outra é Eva", leu Lia.

"Ele tem razão em desconfiar dela", opinou Mary. "Leia o que Reginaldo escreveu: 'Foi amante de Willian. Talvez ainda o ame e queira ser esposa dele!'"

"Não foi nada esperto ao desconfiar de Adelino", falou Lia. "O empregado também é suspeito. Veja o que ele escreveu: 'Empregado antigo. Talvez tenha sido apaixonado por Lia e a matou por esse motivo. Não me parece saudável!' Absurdo! Adelino é bem-casado com Neguinha, que é bonita, dedicada, e ele sempre a amou. Nunca ocorreu nada entre nós. Ele sempre foi respeitador. E, mesmo se tivesse me assassinado, porque estaria tentando matar Aidê?"

"Ele colocou na lista o ex-empregado Douglas e o advogado de Willian. Você conhece esse profissional?", perguntou Mary.

"Quando estava encarnada, eu o conheci socialmente. Willian precisou de seus serviços para fazer o inventário. Acho que ele não tem motivo nenhum para atentar contra Aidê", respondeu Lia.

"Reginaldo também anotou que Gina está triste. Ele questiona se não seria remorso?", leu Mary.

"Se eu estivesse encarnada, daria um tapa no rosto dele. Este sujeito não investiga nada. Ontem desconfiei do meu filho, de Gina e do marido dela.

Foi tolice! Não penso mais nisso! Eu posso ter desconfiado, mas ele não tem esse direito. Esqueci de lhe falar: ontem, enquanto você foi investigar Adelino, Reginaldo fez uma visita rápida para Gina e eles conversaram por alguns minutos. Giovana, minha filhinha, está triste porque me amava e eu desencarnei e porque o pai casou-se logo com outra. Precisa de mais motivos para se entristecer? Gina não tem de ter remorso. Sempre foi uma boa filha. Não sei por que Reginaldo não colocou como suspeito o nome de Willian. Será pela chantagem? Pelo que já recebeu e receberá?"

Reginaldo fechou o caderninho, examinou de novo a porta e falou baixinho sua conclusão:

– Alguém tem aberto esta porta pelo lado de fora. Faz isso para entrar na casa? Por quê? Quem? Certamente o assassino! Será alguém de fora? É ajudado? Ou quer que se pense que é de fora!

"O que você acha, Mary?", perguntou Lia. "Que é alguém da casa que faz isso para despistar ou é realmente alguém que não pertence à chácara? Eva? Ela sai para voltar? Estou achando que pode ser Eva a assassina. Mas como essa menina pode ser a criminosa, se foi criada em minha casa? Mas, se for levar em consideração que Eva foi amante de Willian e que me traiu, ela pode muito bem ser a assassina. Matou-me e agora quer o amante mais rico e viúvo de novo."

Mary nada respondeu. Ficaram na casa observando Reginaldo, que foi ler o jornal.

No horário do almoço, Willian chegou com Aidê. Ele estava muito preocupado. A dona da casa mandou servir o almoço, pediu para Isaura ir com Eva servir a mesa e, como Reginaldo havia recomendado, comentou:

– Estou doente – falou Aidê, com calma. – O médico diagnosticou uma doença séria em meu coração. Por isso tenho passado tão mal. Tenho de tomar uma medicação em horário certo, e conto com vocês para me lembrar.

– Por que você não coloca o remédio aqui na sala de estar? Assim é mais fácil lembrar-se – destacou Reginaldo.

– Tem razão – falou Aidê. – Vou colocá-lo aqui, neste aparador. Tenho de tomá-lo quatro vezes por dia: após o desjejum, no almoço, no jantar e à noite, antes de dormir.

– Querida, estou preocupado com você – disse Willian.

– Não precisa se preocupar. Tomando a medicação corretamente, nada me acontecerá – respondeu Aidê.

Almoçaram em silêncio. Aidê logo depois foi descansar e Willian foi para o escritório. Reginaldo olhou para o remédio e sorriu. O vidro continha só água. No rótulo estava escrito o nome Cardilina e a indicação para tomar quatro vezes por dia. Lia falou, rindo:

"Veja, Mary, que nome estranho Reginaldo colocou no remédio".

Reginaldo balbuciou, baixinho:

– Armadilhas simples são as que pegam supostos inteligentes. Se alguém estiver querendo matar Aidê, a troca do remédio facilitará seu crime. Agora, se estiver querendo eliminar Willian, certamente tentará outra coisa. Aí terei de pensar em outro plano. Esta sala é muito exposta. Há sempre pessoas por aqui para que alguém, durante o dia, faça a troca sem correr o risco de ser visto. Se esta porta é usada, como diz a minha intuição, o criminoso ou a criminosa virá à noite. E aí... – Ele sorriu.

O investigador foi para a cozinha e as duas desencarnadas o acompanharam. As empregadas se assustaram quando ele entrou sem fazer barulho. Ele sorriu cinicamente e falou com voz pausada, olhando-as fixamente:

– Quero lhes recomendar que fiquem atentas com dona Aidê. Ela está realmente doente. Se não tomar o remédio direito, pode morrer. Sua doença é grave!

Isaura arregalou os olhos e exclamou:

– Ave, Maria! Nesta casa já ocorreu desgraça demais! Que dona Aidê não morra!

– Mas infelizmente é o que pode ocorrer se ela não tomar o remédio. Por isso recomendo a vocês que não a deixem esquecer de tomá-lo – falou Reginaldo, com seu sorriso cínico.

Ele saiu da cozinha e Isaura se benzeu, fazendo o sinal da cruz. Eva pensou tão fortemente que Mary e Lia a ouviram, como se ela tivesse falado:

"Bem-feito! Tomara que morra!"

"Maldosa!", exclamou Lia. "Como pode desejar que ela morra? Você é má, Eva!"

"Não sou má!", pensou Eva, sentindo as palavras de Lia, embora não as tivesse ouvido, e sim as sentido como se fossem seu pensamento. "Willian merece ficar viúvo de novo. Me deixou sem explicações. Eu que sentia remorso por trair dona Lia! Que ele sofra! Parece tão apaixonado. Irá sentir a morte dessa mulher! E aí estarei vingada!"

Eva saiu da cozinha e foi limpar a sala. As duas desencarnadas foram atrás de Reginaldo, que foi falar com Adelino. Ele contou ao empregado sobre a suposta doença de Aidê e voltou para a casa.

As duas ficaram um pouquinho com o empregado e o ouviram pensar:

"Vou orar para dona Aidê, como também colocar o nome dela no caderno de vibrações do centro espírita. Coitada, é tão nova! O sr. Willian não tem sorte: primeiro dona Lia morreu ao comer a sopa de cogumelos venenosos e agora a segunda esposa que é doente! Se me comparar com ele, eu é que tenho sorte! Neguinha é uma esposa nota mil".

Depois de ouvirem Adelino, elas foram atrás de Reginaldo, que foi conversar com o primo no escritório:

– Willian, meu caro, você deveria convidar Gina e Agenor para jantar aqui conosco. Gostaria de vê-los, e acho que você deve contar-lhes sobre a doença de Aidê.

– Não sei porque contar a eles – disse Willian. – Estou preocupado demais, e talvez Gina ache bem-feito.

– Por que ela pensaria assim? – perguntou o investigador.

– Minha filha não me perdoou por eu ter me casado tão depressa. Ela não gosta de Aidê – respondeu Willian.

– Será que não é uma boa hora para que elas fiquem amigas? Talvez Gina fique comovida com a doença da madrasta – falou Reginaldo.

– Pode ser que você tenha razão. Vou convidá-los – disse Willian, determinado.

– Aproveite e convide também seu advogado – sugeriu o visitante.

– Por quê?

– Nada como um jantar para acertar negócios – respondeu o investigador.

– Não tenho nada pendente com ele, mas vou chamá-lo.

Willian pegou o telefone e fez as ligações. Depois falou para o primo:

– Agenor e Gina virão, mas o advogado não. Ele já tem outro compromisso. Vou à cozinha dizer para Isaura que teremos convidados para o jantar.

Reginaldo ficou sozinho no escritório e fez uma ligação. Lia e Mary escutaram-no conversando com uma pessoa e recebendo informações sobre Douglas. Pelo que ouviram, o ex-empregado estava trabalhando em uma outra chácara, não muito longe dali.

Quando desligou o telefone, ele saiu sem fazer barulho, subiu as escadas devagarzinho, entrou no seu quarto, deitou-se e logo adormeceu.

Mary disse à Lia:

"Vou procurar esse Douglas e ver se descubro algo suspeito sobre ele. E você fique aqui atenta".

A socorrista volitou até a chácara onde trabalhava o ex-empregado de Willian. Lera o endereço que Reginaldo tinha anotado. Achou a localidade facilmente, bem como o rapaz, que estava na horta regando as plantas. Por mais que ela tentasse, ele não queria pensar no seu antigo emprego nem nos seus ex-patrões.

Voltou e encontrou Lia sentada no sofá.

"Estou vigiando o vidro de remédio. Ninguém mexeu nele. E você? Achou o Douglas?"

"Não descobri muito. Só acho que o moço é incapaz de matar alguém e não é muito inteligente", respondeu Mary, indagando: "Onde está o Reginaldo?"

"Ainda dormindo! Mary, aconteceram aqui alguns fatos suspeitos. Eva entrou escondida no escritório, isto é, observou bem se não tinha ninguém por perto, e deu um telefonema. Falou baixinho. Como ela entrou e fechou a porta, não pude entrar. Encostei o ouvido na porta e só consegui entender uma palavra que ela falou: noite. Willian também se trancou no escritório. Falou duas vezes ao telefone. E Isaura também veio observando. Não vendo ninguém, entrou lá e telefonou. Antes, porém, ela foi ver se Reginaldo estava no quarto. Eu a vi espiando pelo buraco da fechadura."

"Eva e Isaura costumavam usar o telefone?", indagou Mary.

"Eva raramente o usava. Isaura telefonava, às vezes, para a irmã. Quando eu estava encarnada, ela me pedia. Eu sempre dizia que nem precisava pedir, que poderia telefonar quando quisesse."

"Você não escutou nada do que Isaura falou?"

"Escutei ela falar sobre a doença de Aidê", respondeu Lia.

No horário marcado, Gina e Agenor chegaram para o jantar. Ela abraçou Reginaldo e cumprimentou friamente o pai e a madrasta. Após se sentaram à mesa, Isaura foi dar o remédio para Aidê. Deu-lhe as gotas observando se ela realmente as tinha tomado. Willian também ficou olhando. Foi Aidê quem explicou:

– Não estava me sentindo bem, fui ao médico e ele diagnosticou uma doença em meu coração. Tenho de tomar esse remédio nos horários certos.

– É grave? – perguntou Agenor, educadamente.

– É – respondeu Reginaldo. – Se Aidê não tomar esse remédio, corre risco de vida.

Willian suspirou triste.

– Sério? – perguntou Gina. – E você ficará só com a opinião de um médico? Deve ir a outros e...

– Querida – interrompeu Agenor –, não devemos nos intrometer.

– Ah, sim. Desculpe-me – disse Gina.

– Talvez você tenha razão, filha. Vou levá-la à capital, em um centro médico especializado – expressou-se Willian.

– Não precisa. Confio em meu médico – falou Aidê.

– Sei por informações que esse médico que cuida de Aidê é o melhor da região – disse Reginaldo. – É conhecido internacionalmente. Vêm pessoas de todos os lugares para consultar-se com ele. Nesse centro médico que quer levá-la, é provável que eles a mandem para ele.

– Desconhecia esse fato – falou Gina.

– Talvez porque não tenha precisado de um especialista – esclareceu o investigador. – Se você, Gina, adoecer, procure esse profissional.

– Sempre morei aqui e nunca ouvi falar que ele era tão bom assim – retrucou Gina, que ia continuar falando quando Agenor a cutucou com o pé.

– De qualquer forma, vou levá-la para ser examinada por outros médicos – falou Willian, determinado.

– Vamos primeiro aguardar, meu querido – expressou-se Aidê. – Quero fazer esse tratamento. Não estou com vontade de viajar, ir à capital. Confio nesse médico e vou tomar o remédio corretamente.

Conversaram sobre outros assuntos. Reginaldo foi o que mais falou, tentando alegrar o ambiente. Depois do jantar ficaram sentados na sala de estar. Logo após o café, Gina quis ir embora. Agenor, ao despedir-se de Aidê, falou gentilmente:

– Se precisar de alguma coisa, pode contar comigo.

Gina olhou feio para ele. Quando saíram, Willian perguntou:

– Aidê, você ficou triste por Gina rejeitá-la?

– Ainda seremos amigas. Você verá! Estou cansada e vou descansar. Boa noite!

Aidê subiu depois de tomar um remédio. Além do vidro de Cardilina, a gestante estava tomando uma vitamina própria para o seu estado, que o médico havia realmente receitado. Ela deixou um vidro ao lado do outro. Willian ficou um pouco mais na sala e depois foi dormir também. Reginaldo foi à cozinha despedir-se de Isaura, que estava acabando de lavar a louça do jantar.

– Boa noite, Isaura. Vou dormir. Você também irá? Eva está aqui ou foi para a cidade?

– Eva foi para a casa do noivo na cidade. Vou só verificar se a casa está fechada e também vou dormir. Boa noite!

Reginaldo subiu para o seu quarto. Isaura fechou a casa, mas nem chegou perto da porta de correr da sala de estar. Lia comentou com Mary:

"Não é estranho Isaura não verificar se esta porta está fechada?"

"Não será porque raramente a abrem?"

Lia balançou os ombros. As duas ficaram na sala. Isaura foi dormir. Fez-se um grande silêncio na casa.

"Vamos para o paiol?", convidou Lia.

"Prefiro ficar aqui. É limpo e posso sentar no sofá", respondeu Mary.

Escutaram um barulho e viram Reginaldo descendo as escadas devagar, no escuro. Ele sentou-se numa poltrona em um canto. De onde estava, via bem a porta e o aparador onde ficavam os remédios. Acomodou-se e ficou atento.

"Será que ele vai ficar a noite toda vigiando?", perguntou Lia, baixinho.

"Não precisa falar baixo. Ele não nos escuta", respondeu a socorrista. "Acho que Reginaldo acredita que o criminoso virá aqui e tentará substituir o remédio. Vamos ficar também."

Lia acomodou-se no sofá e disse:

"De fato, aqui é melhor do que o paiol. Não estou com sono. Sinto-me agitada e aflita para que tudo termine logo."

Mary foi rapidamente ao paiol e pegou de sua mochila dois livros. Deu um para a amiga ler, *O Evangelho Segundo o Espiritismo*, e pegou o outro para si.

"Vamos ler. A leitura acalma e ensina. Pegue a lanterna para clarear", orientou Mary.

As duas puseram-se a ler. Eram duas e meia da madrugada quando os três ouviram um barulho fora da casa, perto da porta de correr, e logo esta foi aberta. Ficaram atentos. Reginaldo ficou imóvel. Parecia nem respirar.

Um vulto todo de preto entrou cautelosamente na sala. Tinha uma pequena lanterna que iluminou o aparador. Abriu o vidro que continha as vitaminas e colocou dentro uma cápsula igual às demais. Depois, fechou-o, colocando-o no mesmo lugar.

– Não se mexa, assassino! – gritou Reginaldo.

capítulo onze

Esclarecendo os Fatos

O vulto assustou-se, vacilou por segundos e correu para a porta na tentativa de fugir. O investigador pulou sobre ele. Lutaram, esbarrando nos móveis e fazendo muito barulho. Lia e Mary estavam atentas, tensas, sem contudo poder fazer nada. De repente o vulto de preto tirou do bolso um revólver. Reginaldo pegou-o pelo braço. Forte e treinado, o investigador continuou calmo, segurando com firmeza o seu braço. Um tiro saiu da arma, atingindo o teto.

Willian, assustado, ao escutar o barulho, foi para a sala logo após o tiro e acendeu a luz. Reginaldo tomou o revólver da pessoa de preto e levantou-se, apontando-lhe a arma. O invasor ficou sentado no chão.

– Não se mexa, bandido, senão eu atiro e o mato! – gritou o investigador, com firmeza.

O vulto ficou quieto. Willian aproximou-se e tirou da sua cabeça o capuz, que só tinha dois furos para os olhos.

– Você?!? – exclamou Willian.

Lia engasgou e Mary ficou sem saber se a acudia ou ajudava Aidê, que estava na metade da escada, segurando-se no corrimão, branca e tremendo, olhando para a sala. Com receio de ela cair, Mary correu em sua direção, tentando acalmá-la. Mary pediu com firmeza e, embora Aidê não a escutasse, ela sentiu a vontade firme da socorrista:

"Sente-se, Aidê! Sente-se, por favor!"

– Preciso me sentar! – balbuciou Aidê, sentando-se no degrau e segurando firme no corrimão.

Isaura, assustada, entrou na sala e Willian, ao vê-la, pediu-lhe:

– Isaura, fique com Aidê!

A empregada rapidamente foi até a patroa, sentou-se ao seu lado e a amparou. Mary foi até Lia, que ainda estava engasgada, bateu em suas costas e soprou seu rosto. Lia acalmou-se e disse, tristemente:

"Coitada de minha filha!"

– Por que fez isso? – perguntou Willian.

– Por dinheiro certamente – opinou Reginaldo.

Agenor ficou quieto. O investigador tirou da cintura uma algema, foi até ele, puxou seus braços para trás e o algemou.

– Você matou Lia? Responda-me! Você a assassinou? – gritou o dono da casa.

Agenor não respondeu. Willian levantou a mão. Ia dar um soco no genro, mas Reginaldo o impediu.

– Miserável! – gritou novamente Willian, exaltado. – Por que tudo isso? Por que assassinou Lia, que sempre foi como uma mãe para você? E Aidê? Ela nada lhe fez de mal. Covarde! E eu que pensei que Lia se enganara com os cogumelos. Foi você! Assassino! Fale alguma coisa, infeliz!

– Vocês não têm provas contra mim! – exclamou Agenor.

– Temos, sim! – retrucou Reginaldo. – Tenho provas de que você comprou cogumelos venenosos e de que obteve folhetos sobre o assunto. Aqui também tenho o vidro em que colocou a cápsula que certamente, ao ser analisada, saberemos o que é.

Agenor deu um salto, querendo ir para perto do aparador, numa tentativa de destruir a prova. Foi barrado por Willian e acabou perdendo o equilíbrio e caindo, por estar algemado com as mãos para trás.

– Fique aí, assassino! – ordenou Reginaldo.

O investigador pegou o telefone, discou para a delegacia e em seguida deu a notícia:

– Logo os policiais estarão aqui!

Fez-se silêncio. Willian e o primo ficaram atentos em Agenor, que ficou sentado no chão com o investigador lhe apontando a arma.

"Mary, que tristeza! Estou muito infeliz!", exclamou Lia.

A socorrista a abraçou e Lia chorou sentida.

A polícia chegou e levaram o suposto assassino para a delegacia. Reginaldo os acompanhou, levando o vidro de remédio. Quando saíram, Willian fechou a casa e abraçou a esposa.

– Querida, tudo acabou!

– Ele queria me matar! – exclamou ela, chorando.

– Vou fazer um chá calmante – falou Isaura.

– Faça para todos nós, Isaura – pediu Willian.

O dono da casa pegou o telefone e discou. Demorou para ser atendido:

– Filha, desculpe se a acordei, mas houve um imprevisto e Agenor não deve retornar para casa.

Fez uma pausa, em que Gina certamente falou algo, e respondeu carinhosamente:

– Sim, venha para cá logo cedo. Conversaremos com você. Não fique preocupada. Eu amo você! – disse Willian, desligando o telefone.

Isaura chegou com o chá. Tomaram em silêncio. O casal subiu para o quarto e Isaura foi para o seu aposento. Lia convidou Mary:

"Vamos para o paiol? Agora, amiga, que descobri tudo, o que irei fazer?"

No paiol, as duas acomodaram-se num canto.

"Vamos aguardar o desenrolar dos fatos", falou a socorrista. "Depois iremos embora. Levarei você para uma colônia, um lugar onde aprenderá a viver no plano espiritual."

Tentaram descansar.

Logo que o dia clareou, Reginaldo voltou e Mary e Lia correram para a casa. Isaura servia o café e os três, Willian, Aidê e o investigador, estavam sentados conversando sobre os acontecimentos.

– Reginaldo, você sabia que era meu genro o assassino? – perguntou o dono da casa.

– Não! – respondeu o primo.

– Você não disse que tinha provas de que ele havia adquirido folhetos sobre cogumelos venenosos?

– Blefei! Achava que era Eva a criminosa – respondeu Reginaldo.

– Por que tudo isso? Não entendo! – expressou-se Aidê.

– É simples – esclareceu o investigador. – Agenor confessou na delegacia que se casou com

Gina por interesse. Só que não lhe bastava os bens que ela possuía: ele queria mais. Resolveu assassinar Lia e tinha planos para matá-lo, Willian. Como você viajou e voltou casado, e ele investigou e descobriu que Aidê era rica, Agenor resolveu deixá-lo viúvo, para que herdasse a fortuna dela, e matá-lo em seguida. Com sua morte, Gina seria a herdeira.

– Será que esse criminoso mataria minha filha? – perguntou Willian.

– Talvez, mas certamente só o faria depois de algum tempo – respondeu Reginaldo. – Fomos agora pela manhã ao departamento onde Agenor trabalha, abrimos duas gavetas de sua escrivaninha que estavam trancadas e obtivemos muitas provas. Nome e endereço do local onde ele comprou o cogumelo venenoso e o outro veneno. Também havia uma investigação completa sobre Aidê. Achei que o criminoso ou a criminosa, já que julguei ser Eva, tentaria trocar o remédio para o coração. Mas ele já havia preparado tudo e veio colocar no vidro de vitaminas uma cápsula a mais, que continha um veneno que causa enfarte. Pelo que dissemos, tudo se tornou ainda mais fácil para ele.

– Gina deve estar chegando. Escuto o barulho do carro. No telefone, esta madrugada, ela me pareceu sonolenta demais. Nem perguntou onde estava Agenor e o que ele estava fazendo.

– Agenor disse no depoimento que sedava a esposa quando tinha de sair – explicou Reginaldo.

– Vocês não obtiveram essas confissões depressa demais? – indagou Aidê.

– Levamos Agenor preso e o ameacei com tortura. Certamente não ia usar esse método. – Reginaldo sorriu cinicamente. – Mas o amedrontamos. Preferiu nos dizer tudo. Queria resolver o caso logo, pois tenho de ir embora.

– Tenho vontade de surrá-lo, de bater nele até ficar exausto. Ainda bem que ele não conseguiu fazer o que planejara, que não conseguiu assassinar Aidê nem fazer uma maldade maior com Gina.

Giovana entrou na sala. Ainda estava sonolenta. Cumprimentou-os, sentou-se e serviu-se do café.

"Mary", expressou-se Lia, sentida, "coitadinha de minha filha! Não me importo de sofrer, mas não queria que ela sofresse".

– Papai, não entendi bem o que me falou nesta madrugada. Acordei e não vi o Agenor. Lembrei vagamente que me dissera para não me preocupar, que ele não iria dormir em casa. Por favor, me explique o que está acontecendo.

– Acho que ele irá demorar a voltar para casa – disse Reginaldo, devagar.

– Por quê? O que aconteceu? – quis saber Gina.

– Ele está preso! – respondeu o investigador.

Gina engasgou. Isaura correu para acudi-la.

– Papai, por favor, me explique o que está acontecendo – pediu Gina novamente, assim que conseguiu falar.

– Filhinha, tenha calma. Vou lhe falar tudo. Eu tinha certeza de que sua mãe se enganara e tomara a sopa naquela noite com algum cogumelo venenoso. Senti a morte dela. Quando viajei e conheci Aidê, senti que poderia recomeçar minha vida ao seu lado e ser feliz. Quando aconteceu o acidente de carro com Adelino, achei que fora sorte não ser Aidê quem dirigia. Mas, quando o vaso caiu da sacada, desconfiei que alguém queria matá-la, pois, se eu não a tivesse empurrado, ela certamente teria morrido. Por quê? Para quê? Tive a idéia, inspirada por Deus, de chamar o Reginaldo. Ele veio, investigou e inventou a doença da Aidê e o remédio que ela tinha de tomar.

– Achei – explicou Reginaldo – que, se alguém queria matá-la, essa seria uma oportunidade. A pessoa tentaria trocar o remédio. Só que a pessoa foi mais esperta. Não pensou como eu. Veio realmente de madrugada e colocou uma cápsula no vidro de vitaminas que Aidê está tomando.

– E Agenor os ajudou, não é? – perguntou Gina, baixinho.

Ninguém respondeu. Todos a olharam com piedade. Parecia que Gina não tinha ouvido que eles disseram que seu esposo estava preso. Ela virou-se para a empregada, que permanecia ao seu lado, e indagou:

– Isaura, por que vocês estão me olhando assim? Por Deus! Foi Agenor? É ele o assassino?

– Filha – respondeu Willian –, sinto dizer-lhe, mas foi seu marido que veio aqui e colocou a cápsula no vidro de remédio de sua madrasta.

Gina abraçou fortemente Isaura e ficou quieta. O telefone tocou. Reginaldo levantou-se e o atendeu. Ele conversou por um instante e, ao desligar, falou para todos:

– Foi confirmado! Agenor confessou! Na cápsula havia veneno. Ao tomá-lo, a pessoa tem uma morte rápida e parece ser vítima de um enfarte. Já prenderam na capital a pessoa, o farmacêutico especializado em venenos. Ele os fazia por um preço exorbitante. Agenor, ao vir aqui, viu o remédio que Aidê estava tomando, comprou um vidro do mesmo, tirou o conteúdo de uma das cápsulas e colocou dentro o veneno. Em questão de dias, ela a tomaria e morreria.

Gina começou a chorar e Isaura a consolou. Willian levantou-se e foi abraçar a filha. Quando ela acalmou-se, seu pai lhe contou tudo.

– O que faço agora? – perguntou Gina.

– Por que você não vai para Londres e fica um tempo com Jorge Luís? Ele gosta tanto de você – opinou Isaura.

– Isaura tem razão, minha filha. O melhor é você viajar. Seu irmão cuidará de você, como ele sempre fez. Vou agora mesmo me encontrar com nosso advogado. Pedirei a ele para fazer uma procuração, para que eu possa cuidar do seu divórcio. Quero que Agenor fique muitos anos na prisão, e acho que ficará.

– Papai, é muito triste pensar que morava, amava o assassino de minha mãe! – exclamou Gina, chorando. – Odeio-o! Vou fazer isso mesmo: viajar, ficar com meu irmão. E o senhor fará meu divórcio. Quero que cuide de tudo para mim. Não quero nunca mais ver esse traidor!

– Faço tudo o que você quiser, filhinha!

Lia chorava. Aproximou-se da filha, que passou a chorar mais ainda. Afastou-se e comentou:

"Acho que Gina me sente. Vou ficar calma", disse a mãe desencarnada.

– Vou telefonar para Jorge Luís – falou Gina. – Irei agora para o meu apartamento arrumar minhas malas. Isaura, venha comigo, por favor. Ela pode ir, não é, papai? Não quero ficar sozinha aqui nesta cidade para não escutar os comentários maldosos que vão aparecer. Foram muitas as minhas amigas que me avisaram para ter cuidado com o Agenor. Eu não lhes dei atenção, as considerei invejosas. Não quero escutar: "Eu não avisei?" Se tudo der certo, vou hoje mesmo para a capital, me hospedo num hotel e embarco logo que possível para Londres.

– Faça isso, filhinha. Isaura irá com você. Ela lhe fará companhia.

As duas saíram. Aidê perguntou a Reginaldo:

– Como Agenor vinha aqui?

– Ele disse no depoimento que sedava Gina todas as vezes que queria sair. Para vir à chácara, ele usava uma pequena moto que guardava na garagem do prédio, deixava-a escondida numa curva da estrada e continuava a pé até aqui.

– Você fez guarda esta noite. Como sabia que o criminoso entraria por esta porta? – continuou a inquirir Aidê, curiosa.

– Acho, minha cara, que Deus me instruiu. Deu-me vontade de examinar a porta e, quando o fiz, percebi que ela se abria facilmente pelo lado de fora. Então fiz meu plano. – Reginaldo suspirou, sorriu e completou: – E deu certo! Agenor era muito observador. Aproveitou que Isaura gostava muito dele e, quando ela ia visitá-los, conversava muito com ela, induzindo a conversa para os assuntos da chácara. Chegava até a telefonar para a ingênua empregada com o pretexto de lhe falar de Gina. Foi assim que ele soube que Aidê tinha de viajar e que o casal gostava de sentar-se, após o jantar, na varanda. Naquela noite, na véspera da viagem, ele veio e com habilidade danificou o carro. Também veio e colocou a mesa com as cadeiras na posição ideal para que ele pudesse empurrar o vaso. Isaura lhe havia dito que Aidê gostava de sentar-se ali e ficar observando o jardim.

O investigador fez uma pausa e falou, decidido:

– Willian, vou embora. Já resolvi o caso e devo ir para casa. Volto logo a trabalhar. Minhas férias estão acabando. Espero que não venha a precisar mais de mim.

Willian o convidou para ir ao escritório. Pagou o que combinaram e ainda lhe deu uma gratificação. Reginaldo despediu-se e partiu.

"Os telefonemas que Isaura, Eva e Willian fizeram e dos quais suspeitamos não tiveram nada a ver com o caso", expressou-se Lia, dirigindo-se à Mary.

"Acho que Eva telefonou para o namorado, Isaura deve ter falado com a irmã e Willian deve ter resolvido algum problema", opinou a socorrista.

Eva chegou e foi Aidê, que estava na sala, que lhe contou.

– O sr. Agenor? Incrível! Como ele pôde assassinar a dona Lia? Que pessoa cruel! Dona Aidê, agora que está tudo resolvido, quero me despedir. Meu namorado Nelson, o mecânico, convidou-me para morar com ele, e eu aceitei. Fiquei com medo de sair antes e o sr. Reginaldo pensar coisas erradas a meu respeito. Mas, agora que descobriram o criminoso, não quero mais trabalhar aqui.

– Claro! Pode ir embora. E, se quiser, agora! Depois você acerta tudo com o advogado de Willian – falou Aidê, suspirando aliviada por se livrar da ex-amante do marido.

Eva não se fez de rogada e foi arrumar suas coisas. Quando acabou, despediu-se rapidamente do casal e foi embora. No caminho encontrou com Adelino e contou a ele, que também se assustou:

– Coitadinha da dona Gina! – comentou ele.

Na sala da chácara, Mary e Lia continuavam com o casal. Aidê pediu ao marido:

– Willian, vamos embora daqui? Você não tem motivos para ficar nesta chácara. Sua filha irá viajar e você pode deixar seu advogado administrando os bens que tem. Tenho um apartamento montado, mas podemos nos mudar para uma casa quando nosso filho nascer. Tenho minha escola para cuidar.

– Mas, querida, o que eu farei lá? – perguntou ele.

– Você me ajudará na administração. Não gosto de ir a bancos e não entendo de aplicações financeiras – respondeu Aidê.

– Posso fazer isso mesmo? Não quero ficar ocioso – retrucou Willian.

"Que mentiroso!", exclamou Lia, rindo. "Nunca trabalhou! Aqui não fazia nada. Mas, acho melhor eles irem. Quem sabe com Aidê ele aprenderá a trabalhar?"

Willian continuou a falar com a esposa:

– Você tem razão de não se sentir bem nesta casa depois de tudo o que se passou. Eu também já não gosto daqui. Você espera um filho, e é justo que eu a acompanhe para onde quiser morar. Deixo tudo por você, querida. Vou ajudá-la. Depois, quero ter tempo para cuidar do nosso nenê. Podemos nos revezar: quando você for à escola, eu fico com ele; quando eu tiver de sair, você fica. Assim nosso bebê não ficará sozinho com as empregadas.

– Estamos só nós dois em casa. Vou à cozinha fazer algo para almoçarmos – falou Aidê.

– Não precisa. Vou agora à cidade encontrar com o advogado. Não demoro. Já acertei com ele por telefone. Vou somente para pegar documentos. Trarei nosso almoço. E hoje à tarde levo você para o seu, ou seja, o nosso apartamento. Volto para cá amanhã e acerto tudo definitivamente. Voltarei aqui só quando necessário.

– Ah, Willian! Que bom ter um marido que faz as minhas vontades! – exclamou Aidê, alegre.

– Vou ser sempre assim, querida! Amo você – expressou-se ele, apaixonado.

Willian saiu e Aidê foi para o quarto arrumar as malas.

"Acho que devemos ficar aqui. Não é bom deixá-la sozinha", concluiu Lia.

Willian logo chegou com o almoço. Depois também retornaram à chácara Gina e Isaura. O dono da casa pediu para a empregada permanecer na sala. Eles sentaram-se no sofá para conversar:

– Giovana, minha filha, assine a procuração para fazermos o seu divórcio. Cuidarei de tudo o que é seu.

Ela assinou e disse:

– Conversei com Jorge Luís pelo telefone. Ele ficou triste por saber dos acontecimentos, mas alegre com a minha ida. Vou partir às duas horas da tarde. O senhor me leva para a rodoviária? – Com a afirmação de Willian, ela continuou a falar, tristemente: – Vou de ônibus e ficarei num hotel.

Amanhã eu compro a passagem de avião para Londres e parto. Com tudo assinado, o senhor tem a procuração para resolver o divórcio. E já sabe: quero a separação o mais rápido possível.

Willian contou a elas que também ia se mudar e finalizou:

– Gina, vou desocupar seu apartamento. Trarei os móveis para esta casa. Vou cobri-los e depois resolveremos o que fazer. Alugarei seu apartamento. Deixarei Adelino cuidando de tudo aqui. Pedi ao advogado para arrumar sua aposentadoria, Isaura, e você pode escolher: se quiser ficar aqui, poderá; se preferir e quiser morar na cidade, temos um apartamento pequeno e desocupado. Para mobiliá-lo, poderá pegar os móveis que quiser daqui, e não precisa pagar nada.

– Não quero ficar aqui, sr. Willian – respondeu Isaura. – Agradeço-lhe por arrumar minha aposentadoria e por oferecer o apartamento e os móveis, porém vou morar com minha irmã na cidade. Ela ficou viúva, sozinha e precisa de mim. Não se preocupe comigo. Tenho minhas economias e, depois, Jorge Luís sempre me manda dinheiro. Ajudo o senhor a arrumar tudo, e, quando partir, eu o faço também.

Acertaram todos os detalhes. Chegou a hora de Gina partir. Ela abraçou Aidê, que lhe falou, carinhosamente:

– Gina, nossa casa é sua também! Não se esqueça disso. E também não esqueça que este nenê que eu espero é seu irmão. Aproveite para aprender bem o inglês e volte para lecionar em minha escola.

– Obrigada, Aidê! Desculpe-me se fui indelicada com você. Faça papai feliz!

Gina abraçou demoradamente Isaura e Willian foi levá-la à rodoviária. Lia chorou:

"E agora, Mary. O que eu faço?"

capítulo doze

Tempos Depois

Com tudo resolvido, Mary abraçou Lia e falou, carinhosamente:

"Que tal você ir para um local onde aprenderá a viver como desencarnada? Vamos orar agradecendo a Deus por tudo ter terminado bem e pedir ao Josemar para vir buscá-la".

Lia abaixou a cabeça e orou com fé e sinceridade. E melhor: perdoou Agenor. Naquele momento, ela não tinha raiva de ninguém. Mary pediu mentalmente ajuda a Josemar, que, podendo ir, logo estava ali na sala:

"Vamos, Lia! Vou levá-la para o nosso posto de socorro".

"E Mary? Ela não pode ir também? É uma boa pessoa. Merece", pediu Lia.

"Obrigada, amiga", disse Mary. "Mas não irei com vocês. Vou embora também, mas para onde moro. Estarei bem. Não se preocupe."

Lia deu um abraço apertado na amiga, agradeceu comovida e partiu com Josemar. A socorrista olhou pela última vez a casa, agradeceu a Deus pela oportunidade de ter sido útil e volitou.

Chegando à Casa do Escritor, onde estava para estudar, Mary foi agradecer ao orientador Carlos Augusto e voltou aos seus afazeres. Tinha muito o que fazer e tinha de colocar a matéria em dia.

O tempo passou rapidamente. Meses depois, ao ter dois dias de folga, Mary foi visitar Lia no posto de socorro onde ela estava abrigada. Lia a recebeu com alegria:

"Mary, que bom vê-la! Queria agradecê-la mais uma vez. E desculpar-me. Josemar me disse que você estava ali para ajudar-me. Nem percebi. Achei que era tão necessitada quanto eu. Agora sei que Reginaldo recebeu sua intuição. Foi você que o orientou, não foi? Você sabia quem era o assassino?"

"Não", respondeu Mary. "Achei que Zé Grilo tinha visto realmente alguém entrar pela porta de correr da sala e que essa pessoa não perderia a oportunidade de trocar os remédios para matar Aidê."

"José Ari e Esmeralda também querem vê-la. Agora o chamamos pelo nome. O grilo chato ficou no passado. Os dois e eu estamos aprendendo muito. Já faço pequenas tarefas. Vou chamá-los. Espere-me aqui."

Lia deixou Mary sozinha no banco do jardim. Ela aproveitou para admirar as flores e pensar:

"É incrível alguém não querer ficar abrigado aqui. Entretanto, são muitos os que saem. Lembro de uma vez que estava servindo num posto de socorro e preocupei-me com esse fato, porque eu também logo que desencarnei saí de uma casa de auxílio. Uma orientadora me convidou para ir com ela entrevistar uma socorrida. Ela a indagou: 'O que você deseja realmente? Quer receber ajuda? O que almeja para você?' E a socorrida respondeu, deixando-me indignada: 'Quero estar bem. Almejo ser uma pessoa como você. Quero ter um cargo importante aqui dentro'. A orientadora calmamente tentou esclarecê-la: 'Para ser útil, tem de aprender. Para conhecer e saber fazer, tem de estudar. Aqui há ordem e disciplina. Temos normas a serem seguidas. Faça o que for recomendado e poderá, um dia, trabalhar aqui dentro'. E a mulher respondeu: 'Acho que não entendeu. Não quero trabalhar. Quero mandar como você'. Ao que a orientadora respondeu: 'Eu trabalho! A orientação que faço é parte da minha tarefa'. A socorrida fez uma expressão de desdém e falou: 'Aqui pelo visto é como em muitos outros lugares! Quando estava no corpo carnal, encarnada, era médium e fui a vários centros espíritas. Eles me aconselhavam sempre a mesma coisa. Diziam que eu precisava estudar, aprender e recomendavam que eu procurasse um tratamento, uma ajuda médica. Resultado: ninguém deixava que eu mandasse. Queria dizer às pessoas para elas fazerem isso ou aquilo, mandar até em espíritos. Morri, desencarnei e escuto a mesma coisa'. A orientadora respondeu: 'Filha, o que temos para oferecer aqui é isso: ajuda ao próximo. Estude e trabalhe, e comece pelas tarefas simples'. A socorrida respondeu: 'Então eu não fico! Vou embora, ouviu? Vocês não são caridosos! Recusam auxílio! Vou embora mesmo! Vou vagar, sofrer!'

"A orientadora abriu o portão e ela saiu. Explicou-me em seguida: 'Entendeu, Mary? Essa mulher quer o que não temos para dar. Esta casa tem objetivos a cumprir, tarefas a realizar, sem esquecer da ordem e da disciplina. Ela já foi orientada diversas vezes. Na enfermaria em que estava, passou a ser um problema. Era exigente, queria mandar. Até os outros socorridos queixavam-se dela. Essa pessoa não sofreu o suficiente para aceitar com humildade o que temos a oferecer. E ainda tentou fazer chantagem, como se nós fôssemos culpados por seus padecimentos, como se estar socorrida aqui fosse um favor que ela estava nos fazendo, e não recebendo. Quando essa senhora estava encarnada, era obsedada. Por suas peregrinações pelos centros espíritas, os espíritos foram doutrinados e socorridos. Mas, pelas suas ações erradas do passado e por seu orgulho, ela adoeceu. Foi recomendado a ela um tratamento médico. Ela se recusou a fazê-lo. Queria nas reuniões dos centros espíritas ser digna de piedade e fazia tudo para chamar a atenção, perturbando a ordem e a harmonia dos trabalhos. Não queria estudar, mas sim ser importante e mandar. Desencarnou e não mudou. Aqui também não temos o que ela quer'."

O trio aproximou-se e despertou a socorrista de seus pensamentos:

"Mary, aqui está José Ari!", exclamou Lia.

Mary os observou e deparou com eles diferentes. Esmeralda estava vestida discretamente, sem o excesso de maquiagem. Estava muito bem. José Ari, um homem com um metro e cinqüenta centímetros, sorria. Tinha todos os dentes sadios. Estava bonito e feliz.

"Que bom revê-la, Mary", expressou-se ele. "Estou fazendo um tratamento para não ter mais o reflexo do corpo físico que tive. E, como queria crescer, o estou fazendo aos poucos. Vou ficar com um metro e setenta e cinco centímetros."[1]

Mary os abraçou.

"Obrigada, Mary", disse Esmeralda. "José Ari e eu muito lhe devemos. Estamos tão bem aqui! Aprendemos, trabalhamos e temos planos de ser úteis com conhecimento."

Conversaram por alguns minutos. Depois os dois voltaram aos seus afazeres. Lia ficou a sós com a amiga e comentou:

"Vou contar a você as novidades de minha família. O filho de Aidê nasceu. É um lindo menino. O casal é feliz. Tenho visitado sempre Edson, que melhora a cada dia. Agenor foi julgado e condenado. Tentou desmentir seu depoimento, disse que o fizera sob tortura, mas havia provas contra ele. Ficará doze anos na prisão, e espero que se regenere".

"E seu outro filho, o Jorge Luís? Ele está bem?", perguntou Mary, educadamente.

"Sim, está", respondeu Lia, sorrindo. "Meu filho é um ser humano maravilhoso. Não tem

[1] Não seria difícil orientadores, trabalhadores do posto de socorro modificarem o perispírito de José Ari, assim como de qualquer socorrido. Mas, para que o necessitado dê valor, se esforce para melhorar e com isso se eduque, são feitos tratamentos que duram meses e até anos. (N.A.E.)

parceiro e não sente falta. Está aprendendo a amar todos como irmãos que somos. É um ótimo profissional e é reconhecido pelo trabalho que faz. Dá valor às amizades e tem muitos amigos. O Evangelho é seu livro de cabeceira, e está se esforçando para vivenciá-lo. Continua com seu trabalho voluntário em hospitais e participa de um grupo de apoio aos familiares dos doentes. Estou muito contente com ele."

"E Giovana? Como ela tem passado?, quis saber Mary.

"Gina emagreceu, fez plástica, está linda. Jorge Luís e ela continuam grandes amigos. Minha filha pensa em voltar e trabalhar com a madrasta na escola. As duas têm se falado muito por telefone e tornaram-se amigas. Willian está bem. Cuida do filho, da casa e faz pequenos trabalhos para a esposa. Eva foi morar com o mecânico, mas não deu certo. Agora ela está namorando outra pessoa. Isaura está contente. Está morando com a irmã. Meu ex-esposo pensa em vender a chácara. Adelino ainda trabalha lá cuidando de tudo. Não deixou mais de ir ao centro espírita. Geraldino, meu primeiro esposo, veio visitar-me. Nós nos entendemos e nos desculpamos. Tornamo-nos amigos. Só uma coisa me intriga: por que você foi ajudar-me?"

"Lembra, Lia, que você achava que Willian a havia assassinado e quc havia tirado a idéia dos livros lidos?"

"Lembro. E quem me assassinou nunca os lera", respondeu Lia.

"Você amaldiçoou a escritora", completou Mary.

"Fui injusta com ela", falou Lia, olhando bem para a amiga. "Mary, você é essa escritora?"

"Sou!"

"Meu Deus! Que vergonha! Eu a xinguei e você não tinha nada a ver com isso. Por favor, me desculpe!", pediu Lia.

"Tenho, Lia, responsabilidades por aquelas obras. Quando fazemos algo, somos responsáveis. Ao escrever esses livros quando encarnada, eu não o fiz para as pessoas tirarem idéias e praticarem o mal. Eu os escrevi para entreter, porque amava fazê-los. Essa ação me pertence. Você, achando-se prejudicada, clamou por justiça e foi-me pedido para ver o que acontecia e para ajudá-la. Porque, amiga, se alguém nos amaldiçoa e se temos condição, devemos reverter a situação."

"E você a reverteu. Hoje a bendigo! Oro todos os dias pedindo a Deus para abençoá-la."

"É bem melhor receber bênçãos!", exclamou Mary, alegre.

Abraçaram-se emocionadas e despediram-se.

"Uma vez amigas, sempre amigas!", expressaram-se as duas juntas, rindo.

Mary voltou à Casa do Escritor agradecida pela oportunidade que Deus nos dá de reparar nossos atos, mesmo os que fazemos sem a intenção de prejudicar.

O palestrante preferido dela foi como convidado à Casa do Escritor falar de Jesus e do seu Evangelho. Entusiasmada, ela chegou bem antes do horário marcado e sentou-se na frente. E, como sempre, foi muito proveitoso. Mary narrou-me o que ouviu, o que lhe foi mais importante. Assim, há no texto frases profundas, que merecem meditação. E, se fez bem a ela, certamente fará a nós.

O esmerado senhor com sua voz agradável e forte leu o seguinte texto do Evangelho de Mateus:[2]

Não acumuleis tesouros na Terra, onde a ferrugem e os vermes os consumirão, onde os ladrões os desenterram e os roubam; acumulai tesouros no Céu, onde nem a ferrugem,

[2] Mateus, 6: 19-21, 25-34. O leitor poderá encontrar mais explicações sobre esse bonito ensinamento em *O Evangelho Segundo o Espiritismo*. Allan Kardec – Capítulo 25 – Buscai e Achareis, nos itens 6, 7 e 8 – Observai os Pássaros do Céu. Petit Editora: São Paulo/SP. (N.A.E.)

nem os vermes os consumirão; onde os ladrões não penetram nem roubam, pois, onde está vosso tesouro, também está o vosso coração.

É por isso que vos digo: Não vos inquieteis por encontrar o que comer para o sustento de vossa vida, nem por terdes roupas para cobrir vosso corpo. A vida não é mais do que o alimento, e o corpo mais do que a roupa?

Observai os pássaros do céu: eles não semeiam e não colhem, e não guardam nada nos celeiros; mas vosso Pai Celeste os alimenta; vós não sois muito mais do que eles? E quem é aquele dentre vós que pode, com todos os seus cuidados, acrescentar à sua estatura a altura de um côvado?

Por que também vos inquietais pela roupa? Observai como crescem os lírios dos campos; eles não trabalham, nem fiam; e, entretanto, eu vos declaro que nem mesmo Salomão, em toda a sua glória, nunca se vestiu como um deles. Se, pois, Deus tem o cuidado de vestir desse modo uma erva dos campos, que hoje existe e que amanhã será lançada na fornalha, quanto mais cuidado terá em vos vestir, homens de pouca fé!

Não vos inquieteis, dizendo: Que comeremos, ou o que beberemos, ou com o que nos vestiremos? – como fazem os pagãos que procuram todas essas coisas; vosso Pai sabe que tendes necessidades delas.

Buscai, pois, primeiramente o reino de Deus e sua justiça, e todas essas coisas vos serão dadas de acréscimo. Por isso, não fiqueis inquietos pelo dia de amanhã, pois o amanhã cuidará de si mesmo. ***A cada dia basta a sua aflição.***

E após ensinou:

"Contemplai as aves do céu! Não semeiam nem ceifam, nem recolhem em celeiros... Contemplai os lírios do campo como crescem, como são belos! A nossa Terra é tão linda!

"A natureza está em perfeita harmonia com o Criador, embora a harmonia seja instintiva. Devemos, com nosso esforço, estabelecer em nós essa harmonia consciente com Deus, nosso Pai.

"Existe uma profunda afinidade entre o ser humano espiritualista e a natureza.

"Jesus chamou a atenção dos seus discípulos, legando-nos um precioso ensinamento sobre as preocupações e as inquietações do ser humano com o dia-a-dia, com o amanhã, levando-nos a meditar sobre a serenidade, a beleza e a quietude da natureza.

"Quando vivemos no estreito círculo só de nossa vivência, seja ela encarnada ou desencarnada, vemos só as nossas necessidades diárias. E são muitos os encarnados que só fazem isso, não dormindo direito, chegando a abreviar a vida física, e preocupando-se tanto que se tornam infelizes.

"E essas preocupações dos encarnados não são só dos pobres, que às vezes não têm o necessário para uma existência decente. Os que julgam possuir riquezas também se preocupam com o que têm e com o que desejam ter.

"Pelo que sabemos, o Mestre Jesus não foi milionário nem mendigo e nunca lhe faltou nada.

"Para que tantos cuidados com supérfluos perecíveis? Por que não pensarmos em nos harmonizar com as Leis Divinas?

"Quando encarnado, eu achava que só os que viviam no corpo físico tinham preocupações excessivas com o que faziam, com o que comiam etc. Aqui na Espiritualidade compreendi que ninguém muda só porque troca de plano. Sobre os moradores do Umbral eu não ouso falar. Eles nem percebem ainda a necessidade de fazer o bem. Abrigados e até moradores das colônias, muitos ainda, fazem as coisas para receber algo em troca, desejando ter, e não ser.

"O ser humano espiritualizado se harmoniza com o Deus do mundo e entra em grande harmonia com o mundo de Deus.

"Os grandes mestres espirituais não nos recomendam não ter nada, mas sim o necessário para uma existência decente. Eles ensinam a não ter posses, e sim a usufruir com sabedoria.

"O indivíduo, esteja ele encarnado ou não, que se harmoniza com Deus contempla Suas obras e por elas sentem Sua paz.

"Aquele que vive os ensinamentos de Jesus não necessita de rótulos, elogios, não espera louvores nem teme censuras, porque tudo o que faz é sem interesse. Realiza com amor e entusiasmo as tarefas que compreende que têm de ser realizadas, não esperando resultados."

Após ouvir a palestra, Mary ficou no pequeno jardim da colônia olhando as flores, que eram belas. Maravilhas da natureza que não revelam vestígios de excesso de cuidado, afobação, nervosismo e que não visam resultados, mas que realizam inconscientemente com a máxima perfeição cada obra, a vontade de Deus, e o fazem sem interesse, sem temer censura. É o que o ser humano deveria fazer conscientemente: obras lindas e perfeitas, somente porque lhe compete fazer isso.

E o Evangelho de Jesus Cristo é o caminho mais seguro para uma existência no bem em todos os planos da vida.

Fim

Ao terminar a leitura deste livro, provavelmente você tenha ficado com algumas dúvidas e perguntas a fazer, o que é um bom sinal. Sinal de que está em busca de explicações para a vida. Todas as respostas que você precisa estão nas Obras Básicas de Allan Kardec.

Se você gostou deste livro, o que acha de fazer com que outras pessoas venham a conhecê-lo também? Poderia comentá-lo com aquelas do seu relacionamento, dar de presente a alguém que talvez esteja precisando ou até mesmo emprestar àquele que não tem condições de comprá-lo. O importante é a divulgação da boa leitura, principalmente a literatura espírita. Entre nessa corrente!

Livros da Patrícia

Best-seller

Violetas na janela

A maior surpresa dos últimos tempos na literatura espírita. Com 916 mil exemplares já publicados, apreciado por mais de 3 milhões de pessoas, Patrícia nos encanta com seu modo singelo de falar sobre o outro lado da vida.

Vivendo no mundo dos espíritos

Depois de nos deslumbrar com *Violetas na janela*, Patrícia nos leva a conhecer um pouco mais do mundo dos espíritos, as colônias, os postos de socorro, o Umbral e muito mais informações que descobrimos acompanhando-a nessa incrível viagem.

A casa do escritor

Patrícia, neste livro, nos leva a conhecer uma colônia muito especial: A Casa do Escritor. Nesta colônia estudam espíritos que são preparados para, no futuro, serem médiuns ou escritores. Mostra-nos ainda a grande influência dos espíritos sobre os escritores.

O vôo da gaivota

Nesta história, Patrícia nos mostra o triste destino daqueles que se envolvem no trágico mundo das drogas, do suicídio e dos vícios em geral. Retrata também o poder do amor em benefício dos que sofrem.

Psicografados por Vera Lúcia Marinzeck de Carvalho

Leia e divulgue!
À venda nas boas livrarias espíritas e não-espíritas

petit

Suspense e Mistério
Antônio Carlos

Psicografados por Vera Lúcia Marinzeck de Carvalho

A casa do penhasco

Acontecimentos estranhos e assustadores envolvem o filho de um casal que, atraído por um aluguel barato, resolve morar na casa do penhasco. O garoto, alvo de perseguição maléfica e invisível, leva os pais a buscarem auxílio no Espiritismo.

Copos que andam

A evocação de espíritos por meio de objetos, tais como copo, pêndulo e outros traz enormes perigos, porque espíritos sérios não atendem a esses chamados. Conheça a história de Nely, vítima de espíritos trevosos que a induziram a matar o próprio pai e a suicidar-se em seguida.

A mansão da pedra torta

Ana, ao aceitar um novo emprego, mal sabia que iria de encontro a desafetos de vidas passadas. Mistério, suspense e muita emoção fará o leitor acompanhar a personagem na busca de respostas.

O mistério do sobrado

Na sala de visitas da casa mais bonita da rua, um sobrado, cercado de grades, e rodeado por um lindo jardim, trágicos assassinatos vão acontecer. Qual seria a razão daquelas mortes misteriosas? Uma narrativa emocionante, marcada por sentimentos em conflito.

O talismã

Três jovens ao brincar em uma ruína acham um objeto cheio de segredos que fora motivo de traição, mortes e muitas intrigas no passado. Uma história envolvente e emocionante.

Leia e divulgue!

À venda nas boas livrarias espíritas e não-espíritas

A Petit Editora terá muita satisfação em cadastrar seu nome na lista de clientes preferenciais. Para isso, é só preencher o questionário abaixo e aguardar nossos informativos sobre os lançamentos.

Nome: ....

End.: .... Nº: ....

Bairro: .... Compl.: ....

CEP: .... Cidade: .... Estado: ....

Tel.: .... Fax: .... Data nasc.: ....

e-mail: .... Sexo: ☐ M ☐ F

Estado civil: ☐ solteiro (a) ☐ viúvo (a)
☐ casado (a) ☐ divorciado (a)
☐ outros

Formação escolar: ☐ ensino fundamental ☐ superior
☐ ensino médio ☐ pós-graduado

Ocupação: ☐ estudante ☐ empresário
☐ prendas domésticas ☐ profissional liberal
☐ empregado setor privado ☐ autônomo
☐ empregado setor público ☐ aposentado

Qual a área de seu interesse?

☐ doutrinária
☐ infantil
☐ romance

Onde você comprou este livro? ....

Aspecto mais interessante:

☐ preço ☐ autor
☐ capa ☐ editora
☐ assunto

Quantos livros comprou no último ano?

☐ até 12 ☐ de 12 a 20 ☐ mais de 20

DOBRE AQUI E COLE

PRT/SPM 3873/01
UP AC V. ESPERANÇA

DR/SPM

CARTA-RESPOSTA

NÃO É NECESSÁRIO SELAR

O SELO SERÁ PAGO POR

PETIT EDITORA E DISTRIBUIDORA LTDA.

03653-999 São Paulo – SP

DOBRE AQUI